跟 我 学 汉 语

教 师 用 书 第 三 册

LEARN CHINESE WITH ME

TEACHER'S BOOK 3

Printed in China

人民教育出版社

People's Education Press

教材项目规划小组

严美华	姜明宝	张少春
岑建君	崔邦焱	宋秋玲
赵国成	宋永波	郭 鹏

主　　编　　陈　绂　朱志平

编写人员　　娄　毅　宋志明　朱志平

　　　　　　　　徐彩华　陈　绂

英文翻译　　李长英

封面设计　　张立衍

插图制作　　北京天辰文化艺术传播有限公司

责任编辑　　王世友

审　　稿　　王本华　吕　达

跟我学汉语

教师用书　第三册

*

人民教育出版社出版发行

网址：http://www.pep.com.cn

北京人卫印刷厂印装　全国新华书店经销

*

开本：890 毫米×1 240 毫米　1/16　印张：12.25　插页：1　字数：199 000

2004 年 9 月第 1 版　2009 年 5 月第 4 次印刷

印数：9 001～14 000 册

ISBN 978－7－107－18067－5　定价：34.30 元

G·11156（课）

如发现印、装质量问题，影响阅读，请与本社出版科联系调换。

（联系地址：北京市海淀区中关村南大街 17 号院 1 号楼　邮编：100081）

Printed in the People's Republic of China

目　录

致 教 师

您好！感谢您选择使用《跟我学汉语》。

《跟我学汉语》是一套专为海外中学生设计的汉语教材。

中学生正处在身体、思想等各方面从儿童向成人发展的过渡时期。这个时期的学生对新知识充满好奇，但是志向尚未确定。因此，这个阶段的教育应该以培养兴趣为主，语言教育也是这样。《跟我学汉语》这套教材正是基于这个主导思想来确定它的编写原则和基本体例的。

我们全体编者都是汉语作为第二语言教学的第一线的教师。在编写这套教材的过程中，我们始终努力从自己亲身进行教学的角度去设计教材、安排内容。但是，我们对于海外中学生的日常生活和性格特征的了解毕竟还很有限，而且，在教材编写的前期调研中我们也认识到，目前国内汉语作为第二语言教学与海外第二语言教学，特别是中学汉语教学，在教学理念和教学思想上还存在一定差异。不过我们相信，在多元文化交流频繁的21世纪，我们必能在与海外同行的交流与理解中来缩小这种差异。因此，我们衷心地希望并欢迎您提出宝贵的意见，为这套教材的进一步修订，也为我们共同为之努力的汉语教学事业。

下面我们就向您介绍《跟我学汉语》，请您在使用以前仔细阅读这套教材的编写原则和基本体例，以便您能全面了解这套教材，充分运用我们向您提供的全部参考资料。

编 者

2004 年 8 月

To the Teacher

Hello, and thank you for using *Learn Chinese with Me*.

Learn Chinese with Me is a series of textbooks designed especially for overseas high school students.

High school students are in the transitional period from adolescence to adulthood. They are keen to acquire knowledge, but have yet to set their goals in life. Their education, including language training, should therefore be focused on fostering their interests. The style and content of *Learn Chinese with Me* were designed in accordance with this principle.

All of the contributors to the books are teachers of Chinese as a second language and the textbooks have been compiled with the needs of both teachers and students in mind. Due to differences in culture, there are, however, some differences — in terms of teaching concepts and ideology — between teaching Chinese as a second language in China and teaching Chinese as a foreign language abroad. This is especially so at high school level. The research we conducted before compiling these textbooks has highlighted the existence of such differences. Nevertheless, we are still convinced that in the 21st century, as various cultures increasingly intermingle, we can bridge the culture gap through mutual understanding and exchange of ideas. Thus, we sincerely welcome any suggestions for the improvement of this series of textbooks and their teaching methodology.

Now we would like to introduce you to *Learn Chinese with Me*. Please read the compiling principles and the stylistic rules of the textbooks carefully so that you have an overall understanding of the books and will be able to use all of the reference materials provided.

Compilers

August, 2004

《跟我学汉语》编写说明

一 教材的适用对象

《跟我学汉语》是一套专为中学生设计的教材，使用对象主要是以英语为母语的中学生（或年龄在15～18岁的以汉语为第二语言的学习者），适用于北美地区中学汉语教学，可供9～12年级使用。水平从零起点至初、中级阶段，1～4册学生用书涉及汉语词汇约2000个。

二 教材包括的内容

《跟我学汉语》全套教材共12本（含有与学生用书相配套的语音听力材料），包括：

9年级（零起点）学生用书（第一册），以及配套的教师用书、练习册各一本；

10年级学生用书（第二册），以及配套的教师用书、练习册各一本；

11年级学生用书（第三册），以及配套的教师用书、练习册各一本；

12年级学生用书（第四册），以及配套的教师用书、练习册各一本。

三 教材编写原则

1. 总体设计原则

内容安排自然、有趣，符合第二语言学习规律。框架设计采用结构与功能相结合的原则，语言知识通过一定的话题体现在语言交际中。给学生的语言材料生动有趣，符合一定的交际功能的需要。不单纯追求汉语知识的系统和完整，但给教师的参考资料力求知识系统、丰富、翔实。

2. 语法结构和表达功能

这套教材以零为起点，终点接近中级汉语水平。结合基本的日常生活中不同表达功能的需要，教材将初级汉语水平阶段所涉及的句型和语法点根据话题的需要加以安排。语法点出现的顺序除了考虑功能的需要以外，还兼顾了汉语结构的难易，同时尽量吸收了当前汉语作为第二语言习得研究特别是对以英语为母语的汉语习得研究的最新成果。

3. 语言材料的编排和词汇呈现的方式

为了适应中学生活泼好动的年龄特征，《跟我学汉语》尽量采用他们熟悉并喜爱的话题，以话题为线索来编排语言材料。2001年编者在北美地区对两个城市的中学生进行了"你感兴趣的话题"的问卷调查，这套教材的话题即是从500多份调查材料中精心筛选出来的，既吸收了中学生的意见，也符合日常交际的需要。我们根据交际的需要和第二语言习得的规律安排话题的顺序，使学生能自然、直接地接触真实生活中的汉语。

《跟我学汉语》词汇的呈现分两部分：必学词和补充词。"必学词"是表达某个交际功能所必需的和在课文中要涉及到的词汇，这部分词汇在每一课中呈现的数量是根据学生在一定时间内所能掌握的词汇数量来确定的，并分别列入生词表和课本后的词汇总表，解释比较详尽，教师应当在学完每一课以后了解并确定学生是否已经基本掌握这些词；"补充词"是帮助学生理解、运用某个功能或进行替换、扩展练习时用的词汇，带有英语翻译，这些词汇可以根据学生的语言基础和学习进度由学生自己掌握，或由教师机动安排。

4. 课文故事背景和上下文语境

该教材的使用地是学生的母语地区，鉴于学生不一定有机会直接在日常生活中接触到汉语，《跟我学汉语》的课文在设计时充分考虑到了课文内容的情景性和上下文语境的具体性。教师在帮助学生使用时应当注意到这一点，以便学生能对课文中所介绍的语言功能充分理解，并能举一反三，学会运用。

5. 关于"导入"

"导入"（Getting Started）在《跟我学汉语》各册课本中均占有相当重要的地位，主要和交际密切相关。"单元导入"应当看做这个单元内容的一个基本介绍，它可以帮助教师引导学生熟悉将要学习的内容，产生学习兴趣。因此，它是教学过程中一个重要的环节，不可以忽略，教师要安排出一定的时间来完成"导入"这一任务。"单元导入"至少应占一节课的时间，每一课的"导入"应占全课学习时间的五分之一。

6. 文化内容的设定

语言是文化的载体，文化是语言得以理解的基本前提。语言教材不可避免地要反映相应的文化,这也是语言教材义不容辞的责任。鉴于《跟我学汉语》这套教材的使用地是学生的母语地区,尊重大多数海外中学教师的意见,《跟我学汉语》中人物的生活背景尽量不安排在中国大陆,以免给学生带来较大的文化障碍。因此,这套教材的文化分三层提供给教师和学生:第一层在课文中通过人物对话来营造文化氛围,介绍相关文化;第二层在课文外通过语音、文字等练习材料加以介绍;第三层通过教师用书的备用资料来丰富文化内容。教师可以根据课时的弹性程度来安排。比如,在时间和学生水平允许的条件下,语音练习材料既可以作为练音使用,也可以作为一定的文化知识向学生介绍。

　　7.语音的特殊设计

　　《跟我学汉语》采用注音的方式给课文标音。在汉语中有语流变调,即一个音节的声调单读时是一个调,在语流中可能变成另一个调。按照汉语拼音方案,在词典和教材中,一般只标本调,在语流中则要按照实际读音来读。第三声变调和"一""不"的变调就是如此。鉴于以英语为母语的学生学习声调的困难,这套教材对日常生活中最常出现的两个"变调"现象——"一"和"不"的变调,采取了变通的标注方法,即按实际读音标调。至于第三声变调则标本调,请教学时注意。关于"一""不"和第三声的变调规律,请详细参考该教材第一册教师用书的"汉语拼音方案"部分。

四　汉语教学法建议

　　语言教学法的实施不仅和语言教学的目的、对象相关,也和所教语言的特点有着密切的关系。对于英语为母语的学生来说,汉语的难点主要表现在两个方面,一个是语音系统中的声调,一个是书写系统的汉字。从这两个难点出发,我们提出两个教学法的原则:(1)语音阶段相对集中,重点放在让学生建立起声调的概念;(2)先学习说话,后读课文;先学词汇,后认汉字;先认字,后写字。

五　如何使用《跟我学汉语》介绍的汉字知识

　　认字要从结构出发,写字要从笔画入手。我们希望教师将"先认字,后写字"这个原则贯彻始终。您可以根据教师用书在每一课的参考资料中所介绍的文字知识,先引导学生了解汉字结构,然后再引导学生认字、写字。

六　《跟我学汉语》各册学生用书及其和教师用书、学生练习册之间的相互关系

　　从纵向看,《跟我学汉语》1~4册学生用书的编排特点是:在相邻两册之间,功

能与知识点在水平上呈螺旋式循环上升，并略有交叉，使学生在学习中循序渐进。第一、二两册的编排是结构与功能在一定话题下相结合；第三、四两册则是以功能为主，兼顾语言点的安排。在功能方面，第一、二册重视口语的单句表达，第三、四册逐渐培养和提高学生口语的成段表达能力和阅读能力。对以汉语为第二语言的学习者来说，阅读也应当视为一项交际任务——与作者进行思想交流。

从横向看，学生用书是核心，教师用书和学生练习册作为辅佐。结合中学生活泼好动的特点，《跟我学汉语》在学生用书中尽量不安排语法结构的说解，以避免引起学习焦虑，导致学生失去学习兴趣。但是在教师用书中则有较为详尽的解释以及相关的补充材料，教师应该相机引导学生了解。

七　关于《跟我学汉语》课本容量的说明

《跟我学汉语》教材容量的设计考虑到各个中学学时不一（大部分在110～150小时／年不等），内容安排有一定的弹性。学时少的学校可以仅就学生用书的内容进行学习；学时多的学校可以将教师用书所提供的资料、活动以及练习册的部分内容作为课堂教学使用。

每一册学生用书共分六个单元以适应各种不同学制。随着年级的上升，各册中每一单元的课数则随每课内容含量的增加相应减少。

第一册每单元6课，共36课，每一课需用时间约4小时。

第二册每单元5课，共30课，每一课需用时间约5小时。

第三册每单元4课，共24课，每一课需用时间约6小时。

第四册每单元3课，共18课，每一课需用时间约7小时。

八　关于《跟我学汉语》学生练习册

在学生练习册中，我们选编了若干练习题与学生用书的每一课相配套，以帮助学生更好地掌握所学内容。每一课均有6～8道练习题，随课本程度的加深而变化形式，有一定的趣味性，可以作为学生自学的材料，也可供教师选作课堂练习。

九　关于《跟我学汉语》教师用书

教师用书主要向教师介绍学生用书每一单元以及每一课的内容、编写思想，提供与之相配套的可用于教学的补充内容和教学策略、语言评估策略等等。教师用书的每一课由五部分内容组成：

1. 教学目的——提示学习这一课应该达到的目标；

2. 教学内容——介绍学生应该掌握的主要内容，解释教材的内容安排；

3. 教学建议——提示课时和训练策略；

4. 参考资料——与课文相关的语言文化知识，包括可用于补充的教学内容；

5. 教学评估——提供教师可用的考查或考试方法。每一单元结束时，将设书面测试题若干，供教师选择。

十　如何使用教师用书中的语法资料

为了方便教师教学，在教师用书的"参考资料"中，我们依照每一课的语言要点，向教师提供更详尽的相关语法说明，即"课文注释与语法说明"。教师可以根据教学的实际需要选择使用，不必把它们全都搬进课堂。请注意不要把这部分内容与"教学内容"中的"语言要点"混淆起来，后者是教学内容的提示。

Instructions to *Learn Chinese with Me*

I. The users

Learn Chinese with Me is a series of textbooks designed for high school students. It is mainly targeted at high school students (or teenagers aged between 15 and 18 learning Chinese as a second language) whose mother tongue is English, and at teaching Chinese to 9-12 grades in high schools in North America. The series is designed for the teaching of Chinese from beginner to intermediate level and about 2 000 Chinese words are included in the 4 Student's Books.

II. Course components

The entire series of *Learn Chinese with Me* is composed of 12 books, including the phonetic and listening materials supplemented to the Student's Books.

For Grade 9 (beginners), Student's Book 1, Teacher's Book 1 and Workbook 1 supplemented to Student's Book 1;

For Grade 10, Student's Book 2, Teacher's Book 2 and Workbook 2 supplemented to Student's Book 2;

For Grade 11, Student's Book 3, Teacher's Book 3 and Workbook 3 supplemented to Student's Book 3;

For Grade 12, Student's Book 4, Teacher's Book 4 and Workbook 4 supplemented to Student's Book 4.

III. Compiling principles

1. Principles for overall design

The content is natural and interesting and arranged in accordance with the rules of learning a second language. The framework combined both structures and functions, and the language points are presented via situational topics. The language materials provided for the students are lively and interesting and meet their communicative needs. Although the textbook itself does not lay emphasis on Chinese grammar, the reference materials offered to teachers try to be systematic and sufficient.

2. Grammatical structures and functional usages

This series of textbooks take the students from beginner to intermediate level. To cope with the general needs of conducting daily communication, the textbooks present students with sentence patterns and grammar at the elementary level in situational topics. Besides the consideration given to functional usages, the order in which the grammar is organized is based on the latest research on acquiring Chinese as a second language, especially the acquisition of Chinese by English-speakers.

3. Ways of organizing the language materials and of presenting the vocabulary

Keeping in mind the lively and restless characters of high school students, we have tried to adopt the topics which are familiar and interesting to them and to arrange the language materials in a topical order. In 2001, we conducted a survey among high school students in two North American cities on "Topics That You're Interested in", and the topics in this series of textbooks have been carefully selected from this survey of over 500 questionnaires. They not only take into consideration high school students' interests, but also meet the demands of daily communication. These topics are ordered according to the communicative needs and in the sequence of second language acquisition so that the students can approach Chinese in actual life naturally.

The vocabulary in *Learn Chinese with Me* is presented in two types: compulsory words and supplementary words. Compulsory words are those that are necessary for certain communicative functions and those that have appeared in the text. The number of this type of vocabulary in each lesson is decided according to the number of words a student can master within a period of time. Such vocabulary can be found both in the word list at the end of each lesson and in the general vocabulary list at the end of each book with detailed and complete explanations. The teacher should make sure that the students have basically mastered these words after concluding each lesson. Supplementary words are those that can help students understand and utilize certain function or do word substitution and word expanding exercises. English translation is provided for this type of vocabulary. Students themselves can decide how many of these words they learn according to their level of Chinese and studying progress, or the teacher can arrange them flexibly.

4. Text background and context

In view of the fact that the students may not have the chance to be directly in touch with Chinese in their daily lives since they live in the area where their mother tongue is spoken, *Learn Chinese with Me* employs many actual situations and specific contexts in its texts. The teacher should remind the students of this when helping them to use the book, and thus the students can have a thorough understanding of the functions introduced in the text and will be able to use them properly.

5. About "Getting Started"

"Getting Started" plays an important part in each of the books of *Learn Chinese with Me*, and it is closely connected with communicative functions. It is a general introduction to each unit. It can help the teacher to familiarize the students with the content they are going to learn and thus arouse their interest. Therefore, it is a key link in the teaching process and should not be ignored. The teacher must spare some time to cover this part. Unit Introduction should take at least one class hour. "Getting Started" in each lesson should take up 1/5 of the total time for learning that lesson.

6. The cultural content

Language is the carrier of culture, and culture is the precondition for a language to be understood. Language books have inevitably to reflect relevant culture, which is an unshrinkable duty. Because *Learn Chinese with Me* is to be applied to the area where the students' mother tongue is spoken, on the advice of overseas high school teachers, the living conditions of the characters in *Learn Chinese with Me* are not placed in the mainland of China to avoid possible cultural barriers. The cultural content involved in *Learn Chinese with Me* is provided for the teacher and the students in 3 layers: the 1st layer is what is created and introduced in the text via the characters' conversation; the 2nd layer is indirectly presented outside the text via exercises on phonetics and Chinese characters; and the 3rd layer is what is enriched via the supplementary materials in the Teacher's Book. The teacher can manage the cultural content according to the flexibility of class hours. For instance, provided the time and students' competence, the phonetic exercise materials can be both used for pronunciation practice and introduced to students as a kind of cultural knowledge.

7. The special approach to phonetics

Learn Chinese with Me employs a phonetic notation system to phoneticize the texts. There are tonal changes in the speech flow of Chinese, that is, the tone of a syllable in speech flow may be different from that if the syllable were said by itself. According to the Scheme for the Chinese Phonetic Alphabet, used in dictionaries and textbooks, words with tonal changes are only marked in their original tones but read in the changed tones when spoken. The tonal changes of the 3rd (the falling and rising) tone, "一" (one) and "不" (used for negation) are just such cases. Having taken into consideration the difficulty English-speaking students may encounter when learning the Chinese tones, we have adopted an adapted way of marking the two most common tonal changes in daily life, that is, the tonal changes of "一" and "不". In *Learn Chinese with Me* "一" and "不" are marked with the changed tones, that is the actual tones for reading. For the 3rd tone, only the original tone is provided, which therefore requires the teacher's attention when teaching. As to the rules for the tonal changes of "一" "不" and the 3rd tone, please refer to the section about the Scheme for Chinese Phonetic Alphabet in the Teacher's Book 1.

IV. Chinese teaching approach and methodology

The implementation of language teaching methodology is not only related to the teaching objectives and subjects, but to the characteristics of the language being taught. For students whose mother tongue is English, the difficulties of Chinese lie in two aspects: one is the tones of its phonetic system; the other is the characters of its writing system. To cope with the two difficulties, therefore, we proposed two principles for Chinese teaching:

① Intensive training should be given at the phonetic stage, focusing on helping students establish the concept of tones;

② Talking comes before text reading; vocabulary learning comes before character identification; character identification comes before character writing.

V. How to introduce the character knowledge in *Learn Chinese with Me*

Character recognition begins with character structures; character writing starts from character strokes. We hope that the teacher can always bear in mind the principle that "character recognition comes before character writing". The teacher can guide students to learn about the Chinese character structure first and then teach them how to write characters by referring to the character knowledge introduced at the end of each lesson in the Teacher's Book.

VI. The relationship between the components of *Learn Chinese with Me*

As a series, Books 1-4 of *Learn Chinese with Me* possess the following features: The functions and language points in the two neighbouring books are advanced in spiral cycles that sometimes overlap so as to enable the students to learn the knowledge step by step. The grammar structures and functions in Books 1 and 2 are combined together under a certain topic. Books 3 and 4 focus on functional usages while maintaining language points.

With regard to functional usages, Books 1 and 2 focus on spoken expression of single sentences; Books 3 and 4 are aimed at equipping the students with speaking abilities to express themselves in a set of sentences and improving their reading abilities. For students learning Chinese as a second language, reading should also be treated as a communicative task — an interaction of mind with the author.

The Student's Book is the core of the series, and the Teacher's Book and Workbook are supplementary to it. Because high school students possess a lively and restless temperament, the Student's Book of *Learn Chinese with Me* tries not to involve grammar instructions to avoid learning anxiety which may cause students to lose their interest in learning Chinese. However, the Teacher's Book offers detailed explanations and relevant supplementary materials, which the teacher can illustrate to students accordingly. We have included functional usage and sentence patterns for each lesson.

VII. The teaching content

Consideration has been given to the different total class hours each high school has (basically the total class hours vary from 110 to 150 per year) when we designed the teaching content; therefore, the content is quite flexible. For schools having comparatively fewer class hours, the content in the Student's Book will suffice. For schools having more class hours, the materials and activities provided in the Teacher's Book and some exercises in the Workbook can be used in class.

Each Student's Book comprises 6 units to meet the demand of different schooling systems. The number of the lessons in each unit dwindles as the content in each lesson increases.

For Student's Book 1, there are 6 lessons in each unit, and 36 lessons in all. Each lesson takes around 4 hours.

For Student's Book 2, there are 5 lessons in each unit, and 30 lessons in all. Each lesson takes around 5 hours.

For Student's Book 3, there are 4 lessons in each unit, and 24 lessons in all. Each lesson takes around 6 hours.

For Student's Book 4, there are 3 lessons in each unit, and 18 lessons in all. Each lesson takes around 7 hours.

VIII. The Workbook of *Learn Chinese with Me*

To help students to master the text, we compiled some exercises to form the Workbook as a supplement to the Student's Book. For each lesson, there are 6-8 types of interesting exercises, and the forms will change accordingly when the content of the textbook moves towards a higher level. The Workbook can be used both as self-learning materials and for classwork.

IX. The Teacher's Book

The Teacher's Book provides teachers with introductions to each unit and lesson, compiling principles, supplementary materials to each lesson in the Student's Book, teaching approaches, and language evaluation strategies etc. There are five sections in the Teacher's Book:

1. teaching objectives — to set out the goals of the lesson;

2. teaching contents — to introduce the main things that the teacher should help students to master, and explain the arrangement of the content in each lesson;

3. teaching suggestions — to remind the teacher of the class instruction time and training strategies;

4. reference materials — to introduce culture related background to the text and some supplementary teaching materials;

5. teaching evaluation and tests — to provide the teacher with evaluation and testing methods. There are some written tests for the teacher to select from at the end of each unit.

X. How to use the materials about grammar in the Teacher's Book

For the convenience of teaching, in the reference materials in the Teacher's Book we have provided the teachers with more detailed explanations on the relevant grammar in each lesson, i.e. "Notes to the Text and Grammar Explanations". The teacher can select from these according to the actual teaching needs rather than instructing all of them in class. Special attention must be paid here: do not confuse this part with the "Language Points" in the "Teaching Content", the latter being a brief introduction to what is to be taught.

第三册学生用书使用说明

一　学生用书的基本框架

《跟我学汉语》第三册学生用书全书共24课，分6个单元，每个单元4课。每单元最后一课为复习课（第4、8、12、16、20、24课）。

第三册学生用书的主要目的是全面培养交际能力。经过第一、二册的学习，学生已经掌握了汉语最基本与最常用的句型、词汇和表达方式，具备了基本的交际能力。而且，随着年龄的增长和语言能力的提高，学生自然会有拓宽话题范围和增加谈话内容的深度等要求。因此，从第三册学生用书开始，《跟我学汉语》把交际内容由第一、二册的以学校、家庭为主转向一些社会性的、可以引起讨论的话题，比如"代沟""不同文化之间的异同""减肥""城市环境的改善"等等。

从交际能力训练的角度讲，在注重话题交际的同时，第三册学生用书强调成段阅读和表达。因此，成段的语言材料比重加大，课文由第二册的两段对话发展为一段对话和一段短文。教师应当根据相关话题，因势利导引导学生运用汉语发表自己的观点，参与讨论，学会成段地描述某物或表述思想。

第三册学生用书的"导入"以应用文体为主，有些直接就是现实生活中的材料，目的是引导学生从日常生活中撷取各种事由，学习用汉语写作。

二　汉语教学入门建议

如何开始一门课程，是每个教师都会考虑的。作为编者和您的同行，我们建议本书的使用从文化导入开始，步骤如下：

1. 介绍中国地图。第一册"全书文化导入"已经介绍了中国的地理、人口、方言、物产等，第二册介绍了中国的民族，第三册在此基础上介绍中国的行政区划。教师应当有意识地引导学生复习第一、二册的知识，然后再引入第三册"全书文化导入"的学习。

2.学习制作京剧脸谱,可以先让学生看或听一两段京剧唱段,吸引他们的兴趣,然后再引导他们自己动手制作各自喜欢的京剧脸谱。

3.引入汉语教学,开始第一课。

以上步骤可以发动学生去找资料,通过讨论等方式完成。

三　学生用书的体例

学生用书每一单元前3课有如下内容:

1.导入

2.课文1——对话体课文

3.课文1注释

4.课文2——叙述体课文

5.课文2注释

6.新词语——课文中的生词和短语

7.课堂练习

8.学成语(包括成语典故、常用俗语和谚语)

9.听力理解和朗读练习

每单元第4课是复习课,有如下内容:

1.以叙述体为主的故事,复现该单元主要语言点

2.课文注释

3.新词语——课文中的生词和短语

4.课堂练习——活动、任务、游戏(单元复习)

5.朗读与歌唱——作为语音练习的一种形式,增加学习的趣味性

6.阅读——与该单元成语、课文内容相关的短文

7.写作任务——提示与本单元内容相关的应用文或短文的写作

8.单元语言实践

9.语法与功能表解、单元汉字总结

四　内容安排示例

1.单元导入

"单元导入"用图画让学生了解该单元将要学习的内容和话题,以引起学生兴趣。

比如，第二单元"单元导入"有如下安排（右图）：

A 照片：北京、西安、黄果树瀑布

B 京剧剧照

C 电影海报

2. 课文导入

"课文导入"分两个部分，一部分是与课文相关的词语或语句，以看图说话（拼音）的方式介绍给学生；另一部分是一则短小的应用文，内容与该课所要学习的课文内容相关。比如，第一课有如下安排（下图）：

3. 每课内容

以第一课为例，将每一课内容基本安排介绍如下：

① 标题：她从香港来——提示本课主要内容；

② 课文：

"课文1"向教师和学生提供情景中的语言材料和相应的交际功能所涉及到的内容。

"课文2"向教师和学生提供一段口述性质的描写，让学生在教师的帮助下了解并学会成段的叙述。

③ 注释：

对课文中不易分析的语句用英语直接翻译给学生，或者做简单的注释，将注释翻译成英语，以便学生通过母语直接理解。

④ 新词语：

"新词语"包括了本课应该学习和掌握的词汇和短语，"专名"主要是专用的名词。

⑤ 课堂练习：

本册学生用书的练习形式有"排序(Rearrange the order)""匹配（Matching）""根据课文回答问题（Answer questions according to the texts）""会话练习（Conversation practice）""说一说(Picture description)""课堂活动（Class activity）""讨论（Discussion）""演一演（Role play）""你来说一说（Give your own answers to the following questions）""词语分类（Word classification）"等形式。在每单元的最后一

课安排一次综合性的语言实践活动，综合复习本单元的内容。

练习的第一个目的是复习并深化课文内容。我们从课文中精选出一些含有语言要点的重要句子，或把一个句子的顺序打乱，让学生"排序"；或把4～5个句子各自分成两个部分，放在一起让学生找出最"匹配"的句子。让学生在操作过程中自然地复习课文内容、学习语言要点。"根据课文回答问题"的目的也是复习和深化课文内容。

练习的第二个目的是让学生运用课文内容进行多种形式的会话练习，提高学生的会话能力。"会话练习"中，我们将课文中一些功能突出的内容集中起来编排成小对话，或者在课文内容的基础上将一些功能或者表达方式加以扩展，让学生进行词语替换练习，举一反三。"说一说"或是给出一个句型，让学生根据插图进行句型练习；或是就课文中一些学生关心的话题，从多种角度给出各种观点，开阔学生思路，激发学生说的愿望。教师可以从课本中的话题引出学生的观点，进而组织讨论。"演一演"给学生提供了情节性较强的对话或故事，让学生在熟读的基础上进行表演，起到寓教于乐的作用。"你来说一说"是让学生根据自己或当地的实际情况回答问题，目的也是让学生运用学过的词语和句型说话。

除了以上两类主要的练习，我们还根据每课的特点和需要灵活编排了"讨论""词语分类"等一些练习。

最后，我们根据课文的话题和功能编排了课堂活动，目的是让学生在动手操作的过程中，复习巩固所学内容并获得乐趣。

⑥ 听力理解和朗读练习：

"听力理解"的内容与课文内容相关，它的目的是从语言输入的角度帮助学生预习或复习这一课应当学习的内容，同时也帮助学生提高听力水平。这个部分的内容注重的是趣味性，但生词会超出学生词汇的范围，我们已经在课本上把内容翻译出来，并有图画相配，但还需要教师对个别词语加以解释，引导学生听清楚语音。朗读练习的目的是帮助学生练习语音，经常朗读一些韵律较强的语言材料有助于学生准确发音，也可以帮助学生流畅地使用汉语。

"听力理解"和"朗读练习"安排在每一课结尾处，以便教师灵活安排这些内容的教学时间。

五　课文的故事情节

1. 课文安排一定的故事情节来帮助学生熟悉一定语境下的语言。故事围绕马明、杰克、李美云等一群中学生的日常生活展开，介绍17岁左右这一年龄段的中学生在日常家庭生活和社会生活交际中所需汉语的各个方面。

2. 故事中的人物相对固定，便于学生迅速掌握上下文和语境。其中马明和杰克是第二册已经出现过的人物，这样安排是为了帮助学生尽快熟悉语言环境。

3. 故事以北美主要大城市为生活背景，但是在有的单元中引入"到中国旅游、学习"之类的话题，为第四册介绍留学中国以及中国大陆的生活背景作铺垫。

六　关于注音——课文中拼音与汉字的编排方式

《跟我学汉语》第一册学生用书的课文采用拼音与汉字相对照的编排方式，拼音在下，汉字在上，以突出汉字的视觉效果。第二册学生用书则将拼音部分的颜色淡化，目的是让学生逐渐习惯看汉字阅读。第三册学生用书则进一步提高难度，对第一、二册已出现过的词语不再标注拼音，只对生词注音。

教师应当随时关注学生可能产生的阅读障碍，及时引导学生复习已经学习过的词语和汉字，帮助学生跨越阅读障碍，逐渐习惯直接阅读汉字。

七　教学内容的重现与复习

每一单元的最后一课安排一定的复习内容，主要有：

① 复习课文——主要用叙述文体重现本单元的词语和句型，帮助学生总结；

② 练习——让学生通过活动复习并掌握本单元的内容，并做一些有实践性的活动，或完成一些课外需用汉语的任务；

③ 阅读——提供2～3则小故事，以该单元出现过的成语为题；

④ 语法总结——用表格形式列出可归纳的本单元所学语法点；

⑤ 汉字总结——总结归纳并分析该单元新出现的汉字的构形特点。

八　第三册"导入"

1. 全书"导入"

(1) 目的是帮助学生深化对中国的认识。承接第一、二册，让学生继续了解中国的其他方面——行政区划，通过了解中国进一步熟悉汉语的文化背景。

(2) 内容

① 介绍中国的行政区划；

② 京剧脸谱的欣赏与制作。让学生通过动手制作京剧脸谱了解中国传统文化。

(3) 使用指南

① 结合学生用书所提供的地图，启发学生找到中国一些省份、城市的位置，并结合第一、二册的方言、地理、物产、民族等介绍，引导学生了解各省、城市的方言特点、风土人情等。

② 结合学生用书所提供的京剧脸谱和京剧故事，带领学生看京剧或听京剧，引导他们制作京剧脸谱。

(4) 对练习活动的建议

① 动员学生到图书馆查找地图，了解中国的行政区划和地理位置的关系。比如，河南、河北的称呼跟黄河有关。

② 帮助学生自己动手找材料，根据本书下面的介绍，动手制作京剧脸谱。

(5) 相关资料

① 中国的行政区划

中国共有23个省，5个自治区，4个直辖市，2个特别行政区。

23个省的名称及其简称是：河北省（冀）、山西省（晋）、辽宁省（辽）、吉林省（吉）、黑龙江省（黑）、江苏省（苏）、浙江省（浙）、安徽省（皖）、福建省（闽）、江西省（赣）、山东省（鲁）、河南省（豫）、湖南省（湘）、湖北省（鄂）、广东省（粤）、海南省（琼）、四川省（川／蜀）、贵州省（黔／贵）、云南省（滇／云）、陕西省（陕／秦）、甘肃省（甘／陇）、青海省（青）、台湾省（台）。

5个自治区及其简称是：内蒙古自治区（内蒙古）、宁夏回族自治区（宁）、新疆维吾尔自治区（新）、西藏自治区（藏）、广西壮族自治区（桂）。

4个直辖市及其简称是：北京市（京）、上海市（沪／申）、天津市（津）、重庆市（渝）。

2个特别行政区及其简称是：香港特别行政区（港）、澳门特别行政区（澳）。

② 跟地域相关的中国的八大菜系及其风味（详见第17课文化所介绍的内容）

川菜、湘菜、浙菜、苏菜、粤菜、闽菜、皖菜、鲁菜

川菜、湘菜的味道以辣为主，浙菜、苏菜比较清淡、微甜，粤菜、闽菜是海鲜风

味的代表，皖菜、鲁菜接近北方菜的风味，味道比较淳厚。

③京剧脸谱的制作

A 京剧脸谱的介绍

Cao Cao Baogong Zhong Kui Sun Wukong

曹操

曹操是三国时期著名的政治家、军事家、文学家，但是在《三国演义》中，他被描写成一个奸臣。由于京剧中与曹操有关的剧目大部分都取材于《三国演义》，如《群英会》《华容道》等。所以曹操的脸谱是白脸，用来表现他的奸诈性格。

包公

包公名叫包拯，是北宋时期人。在中国，关于他的故事家喻户晓。京剧中的包公是一个刚正不阿、铁面无私的形象，他的脸谱是黑脸，用来表现他的性格。以包公为主角的戏很多，如《秦香莲》《赤桑镇》《打龙袍》等等。

《秦香莲》这出戏的内容是这样的：陈世美进京参加考试，他的妻子秦香莲送他出门，依依不舍，陈世美也表示永远不会忘记妻子。陈世美中了状元，他撒谎说自己还没结婚，被皇帝招为驸马。当时陈世美的家乡发生灾荒，他的父母因为生病、饥饿而死，秦香莲带着一个儿子一个女儿，到京城找陈世美。陈世美为了继续享受荣华富贵，始终不肯认秦香莲和他的子女。于是秦香莲决定到开封府控告陈世美。陈世美得知以后，竟派家将韩琪追杀秦香莲及其子女。秦香莲把自己的遭遇告诉了韩琪，韩琪很同情她，不忍杀害她和孩子，但是又觉得没有办法回去向陈世美交待，就自杀了。秦香莲来到开封府包拯那里控告了陈世美，包拯痛恨陈世美的狠毒，不顾皇帝的母亲、妹妹的威胁阻拦，终于依法处死了陈世美。

钟馗

钟馗这个名字，在中国差不多人人都知道。根据古代文献记载，钟馗本来是唐朝人。传说他到京城参加国家举行的考试，因为长得太丑，没有考中，一气之下就撞死在铜柱上。他死去以后，天帝让他做斩妖之神，专门惩罚那些妖魔鬼怪。

《钟馗嫁妹》是一出著名的钟馗戏。剧中说钟馗与同乡杜平入都赴试，钟馗因为没有考中，愤怒地撞柱自杀，天帝封他做斩妖之神。因为杜平掩埋了他的尸骨，钟馗很感动，就回到家，把自己的妹妹嫁给杜平，并且率领鬼卒送妹妹到杜家去。

钟馗心地善良，刚正不阿，所以他的脸谱，看起来像丑鬼，但却能给人一种美感。京剧中钟馗的造型是"端肩""缩脖"，那是因为他撞铜柱而死，脑袋缩进了脖颈。

孙悟空

孙悟空是古典小说《西游记》里的人物。因为孙悟空是猴子的样子，所以他的脸谱像猴子。

在京剧中，关于孙悟空的戏也很多。《孙悟空三打白骨精》就很著名。戏中说唐僧和他的徒弟们去西天取经，走到宛子山。妖魔白骨精想要吃唐僧肉，两次变成村姑和老婆婆，来骗唐僧，但是都被孙悟空看出来。最后白骨精变成白发老头儿假装来寻找女儿和妻子，还是被火眼金睛的孙悟空看了出来。孙悟空不顾唐僧念紧箍咒阻止，举起金箍棒把假老头儿打死。因为孙悟空一连"杀"了三个"人"，唐僧就把他赶回花果山，而唐僧也因此被白骨精抓去。白骨精请他的母亲来吃唐僧肉，孙悟空在半路把白骨精的母亲（一只狐狸）杀死，并且变成她的样子去赴宴，最后打死了白骨精，救出了唐僧。

B 京剧脸谱制作方法和步骤

(1) 做面具

① 制作一个跟真人的脸型大小、形状相似的泥塑脸型。

② 把泥塑脸型烘干，用石膏粉和水把泥制的脸型翻制成阴模（脸部用植物油涂匀，以防与石膏粘连），待用。

③ 将棉纸用水浸透，铺在石膏阴模中，刷一层乳胶，再铺一层棉纸……按此工序反复贴六七层（厚度适中即可）。

④ 烘干，将纸制脸模取出，在双眼和鼻孔的位置穿孔，用来观察和透气。

⑤ 用砂纸把脸模表面粗糙的地方磨光滑，这样一个纸制面具就做成了。

（2）绘制脸谱

①在一张白纸上勾画与脸模大小相同的脸型。因为京剧的脸谱大多是对称的，所以在脸型中间画一道竖线把想要画的脸谱勾画在脸的一侧。

②把这半面脸谱拷贝到纸制面具的相同位置，然后再反向拷贝在另一侧。这样脸谱的画纹就勾好了。

③下一道工序是上色(选用不透明的水制颜料)。先按脸谱的样子画出大块的颜色，涂匀。

④如果有涂出边线的地方可用白色修整，最后用黑色将需勾线的地方勾好。把脸谱晾干后如能再刷一层亚光清漆（用来防水）就更好了。

（3）在脸谱双耳的位置系一根有弹性的绳以便配戴。

2．"单元导入"和"课文导入"

在第三册学生用书中，每单元设"单元导入"，每一课也设"课文导入"，但"单元导入"和"课文导入"的目的不同。"单元导入"的目的是让学生了解该单元将要学习的内容和话题，以引起学生兴趣。

"课文导入"在这一册里有两个目的：一个是帮助学生"预热"，以便进入一定的语境；另一个目的是增加课本的生活气息，一些带有应用性质的短文可以让学生感受一下实际生活中的汉语表达方式，以便在第四册的学习中过渡到真实生活中的自然语言。

"课文导入"分两个部分：一部分是与课文相关的词语或语句，以看图说话（拼音）的方式介绍给学生，目的是帮助学生"预热"，熟悉将要学习的词语，以及课文主要内容，培养学习兴趣；另一部分是一则短小的应用文，内容与该课所要学习的课文内容相关,既可以让学生了解与实际生活相关的汉语应用文字,又可以作为范文让学生练习写作。

九 关于第三册学生用书的其他建议

1. 本册学生用书中的"听力理解"材料和"朗读练习"材料

(1) 关于"听力理解"材料

"听力理解"的目的是帮助学生提高听力水平,分两部分。前一部分从不同角度复现该课课文的内容,帮助学生复习本课所学主要内容;后一部分是一些小故事,程度和学生当前水平相当,内容注重趣味性,目的是提高听力水平。这两部分的生词有时会超出学生用书词汇的范围,我们已经在学生用书上把词语翻译出来,必要时还配有图画,但仍需要教师对个别词语加以解释,引导学生理解内容。

学生用书中每一课的"听力理解"部分都配有一定的习题。前一部分为"判断对错",后一部分为"回答问题",教师可以根据需要安排学生练习。习题的答案在《教师用书》相应的一课中可以找到。

(2) 关于"朗读练习"材料

"朗读练习"的目的是帮助学生练习语音,经常朗读一些韵律较强的语言材料有助于学生准确发音,也能帮助学生流畅地使用汉语。这个部分注重的是发音的正确性和朗读的流畅性,不强调对内容的理解。尽管如此,为便于学生在理解的基础上产生对语言材料的兴趣,我们也在学生用书中对这些材料加以翻译、配图,并在教师用书的相应部分向教师提供一些相关的背景资料和解释。

2. 关于复习课中的阅读材料和教师用书"补充阅读材料"的说明

在每一单元最后一课(单元复习),我们安排一定数量的"阅读材料"供有余力的学生阅读,也便于教师的教学安排有一定的弹性。这些"阅读材料"多半与该单元每一课中出现的成语有关,这样可以帮助学生把知识联系起来。请教师注意引导。

在同一单元的"参考资料" 部分还有一定数量的"备用阅读材料"供教师选择,以弥补该单元"阅读材料"的不足。教师可以根据学生的水平和兴趣,自行考虑选择教学。"备用阅读材料"的内容会尽量贴近学生的水平,但仍会有少量生词,教师应适时加以解释。

3. 关于"写作"的练习与活动

"写"也是一种交际能力，写文章的人可以通过书面表达的形式和读者进行交流。对于把汉语作为第二语言来学习的人来说，"写"有更进一层的意义。由于汉语的书写符号——汉字跟英语、法语等语言的书写符号完全不一样，"认汉字"和"写汉字"一直是汉语学习者学习中的难题。经常练习"写"能够帮助学习者记住并掌握所学的汉字。

从本套教材的第二册开始，已经有意识地安排一定数量的应用性质的写作练习。在第三册我们主张教师加强这方面的训练，让学生做一些课内或课外的写作练习。除"导入"提供的应用文题材以外，可以安排学生仿照叙述体课文写一些记叙性质的文章。在继续利用电脑写作的同时，也做一些手写的练习，以便帮助学生练习汉字书写。

4. 关于汉字部分的编写原则与汉字教学的建议

本教材的汉字讲解，从汉字造字理据的分析入手，力求科学、简便。我们并不主张教师花大量的时间给学生讲汉字，大量的讲解主要安排在教师用书中，目的是为了方便教师。学生以练为主，教师可以根据需要选择一些有代表性的例子给学生分析，达到举一反三的效果。

Instructions to the Student's Book 3 of *Learn Chinese with Me*

I. The framework of the Student's Book

In *Learn Chinese with Me*, Student's Book 3, there are 6 units, each of which contains 4 lessons, thus 24 lessons in total. The last lesson (lessons 4, 8, 12, 16, 20 and 24) in each unit is a review of that unit.

The main objective of the Student's Book 3 is to comprehensively equip the students with communicative skills. After having studied Book 1 and Book 2, the students will have mastered the most fundamental and common sentence patterns, vocabulary and expressions in Chinese, and acquired basic communicative skills. In addition, as the students grow older and their language abilities improve, the demands for a wider range of and greater depth of topics will naturally emerge. Therefore, from Book 3 on, the communicative content in the texts shifts from topics related to schools and families (as in Books 1 and 2) to those concerned with society; that is, topics that can stimulate a good discussion. Examples include "generation gaps", "cultural similarities and differences", "weight loss" and "the improvement of urban environments" etc.

In terms of training communicative skills, Book 3 focuses on topical communication and paragraph reading as well as writing. As a result, there are a large proportion of materials written in paragraph form, and the text has been changed from two conversations in Book 2 to one conversation and one short passage. The teacher should make the best use of these materials and encourage the students to express their opinions in Chinese, to participate in discussions on relevant topics and to learn how to describe things and present ideas in paragraph form.

Most of the texts in "Lead-in" in Book 3 are practical writing tasks, and some of them are taken directly from real life situations. The purpose of this is to provide the students with practical Chinese writing skills for daily life.

II. Teaching Suggestions

How to start a course is a major consideration for all teachers. As the compliers of the book and teachers of Chinese as well, we have outlined some preliminary steps the teacher might like to take as an introduction to the textbook. The emphasis here is on the cultural dimension. They are as follows:

1. Show the students a map of China. The general "lead-in" to the entire book in Book 1 is an introduction to Chinese geography, population, dialects and products; Book 2 introduces Chinese ethnic groups; Book 3, on the basis of Books 1 and 2, introduces China's administrative divisions. The teacher should first intentionally guide the students to go revise the information presented in the first two books and then lead in to the "Cultural Lead-in" in Book 3.

2. Teach the students how to do the facial make-up in Peking opera. The teacher can let the students listen to a couple of pieces of opera or watch some opera performances so as to arouse their interest and then help the students do the facial makeup they like.

3. Follow with the teaching of Chinese and start the first lesson.

Students can look for relevant materials and have discussions on the topics concerned.

III. The components of the Student's Book

The components of the first 3 lessons in each unit in the Student's Book are as follows:

1. Getting Started (lead-in)

2. Text 1 — text in the form of a conversation

3. Notes to text 1

4. Text 2 — text in a narrative form

5. Notes to text 2

6. New words and expressions that have appeared in the texts

7. Class exercises

8. Chinese set phrases (including idioms, common proverbs and sayings)

9. Listening comprehension and reading practice

The 4th lesson in each unit is a review unit. Its content is as follows:

1. Stories mainly written in narrative form, containing the key language points in that unit

2. Notes to the texts

3. New words and expressions that have appeared in the texts

4. Class exercises — activities, tasks and games (unit review)

5. Reading aloud and singing — a type of pronunciation practice, adding fun to learning

6. Reading comprehension — short passages related to the idiom in that unit or relevant to the texts

7. Writing task — providing cues for practical writing or short passage writing related to the content of that unit

8. Unit language practice

9. Grammar, functions and vocabulary in that unit

IV. Illustration of the content

1. Unit Getting Started

To arouse the students' learning interest, the unit "Getting Started" section will introduce the students to the content and topics to be learned in the unit via pictures. The "Getting Started" section of Unit 2 can be referred to as an example (as shown in the right picture).

A. Pictures of Beijing, Xi'an, and the Huangguoshu Waterfall

B. Stage photos of Peking opera

Unit Two

Leisure Time

C. Movie Posters

2. Lesson "Getting Started"

The lesson "Getting Started" is composed of two parts. One contains text-related words and phrases (presented in pictures) which are introduced to the students via such an exercise as "Look and Say" (presented in *pinyin*). The other is a short piece of practical writing whose content is connected with the text content. The "Getting Started" section of Lesson 1 can be referred to as an example (as shown in the right picture).

Getting Started
According to the given picture try to describe what the person in the "Notice" looks like.

3. Lesson content

The following is an outline of Lesson 1. We have presented it here to illustrate the basic arrangement of each lesson:

① The title: She Is from Hong Kong

—The title indicates the main content of this lesson.

② Texts:

Text 1 provides both the teacher and the students the language materials and related communicative skills in a real situation.

Text 2 presents the teacher and the students with a narrative description, which aims to familiarize the students with, and to learn about, paragraph writing under the teacher's guidance.

③ Notes:

This provides the students with sentences that are difficult to analyze and thus have been translated into English, or provided with simple explanations in English so as to help the students to understand directly in their mother language.

④ New words and expressions:

New words and expressions include the key words and phrases that should be learned and mastered by the students in that lesson. Proper nouns are mainly names of individuals, places or organizations.

⑤ Class exercises:

The forms of exercises in Book 3 include "Rearrange the order", "Matching", "Answer questions according to the texts", "Conversation practice", "Picture description", "Class activity", "Discussion", "Role play", "Give your own answers to the following questions" and "Word classification" etc. The last lesson of each unit offers an exercise of comprehensive language practice so that the content that has appeared in that unit can be summarized.

The first goal of these exercises is to re-present and provide a deeper understanding of the text content. For instance, some important sentences containing key language points are singled out from the texts, some of them are split into separate words in illogical order and the students are required to rearrange these words into correct sentences and some contain 4-5 sentences, divided into two parts and grouped into two columns for the students to match for the best collocation. Through such practice, the students will naturally revise the texts and key language points. "Answer questions according to the texts" is another form of this kind of exercise.

The second goal of these exercises is to enable the students to conduct various conversations on the basis of the text content. The students' conversational abilities can thus be improved. In "Conversation practice", some text content with prominent communicative functions are gathered and made into small dialogues; or some functions or expressions based on the texts are further extended for the students to do word and expression substitution. Through such constant practice, these words and expressions can be more easily mastered.

In "Picture description", one form of exercise provides students with some sentence patterns to make up sentences by referring to the example and pictures, which are offered as hints; another exercise requires topics that are of interest to the students to be picked out from the texts. Opinions on these matters are given from different angles so as to broaden the students' thinking and stimulate their will to speak. The teacher can encourage the students to state their views on the topics presented in the texts and organize some discussions.

"Role play" provides the students with dialogues or stories with real plots so that the students can do the role-play after they have familiarized themselves with these materials through reading. This type of exercise is designed to turn learning into a pleasure.

"Give your own answers", ask the students to use words, expressions and sentence patterns they have learned to talk about themselves, and their city etc.

Besides those major types of exercises mentioned above, some more flexible types of exercises are also designed according to the features and requirements of each lesson, such as "Discussion" and "Word classification" etc.

Last but not least, the "Class activity" is arranged in accordance with the topics and functions involved in the texts. The purpose here is to consolidate what the students have learned and add a little fun to the learning through their own practice.

⑥ Listening comprehension and reading aloud:

The content in "Listening comprehension" is related to the texts and it aims at helping the students to preview or review what they are supposed to learn in that lesson via language input. In addition, it can also help to improve the students' listening abilities. It attaches importance to fun, although some of the new words are more difficult than the level of the text. English translation of such words has been provided, so have some pictures, but the teacher still needs to offer explanations on some particular words, and guide the students to master the pronunciation. The materials in "Reading aloud" contain strong rhythms, which can help the students to improve their speaking fluency and accuracy provided they read out very often.

Listening comprehension and reading practice are placed at the end of each lesson so that the teacher can use them at a separate class hour.

V. The text plots

1. A certain plot is provided in the text to help the students to familiarize themselves with the conversation in specific situations. The stories develop with the daily lives of a group of high school students — the main characters are Ma Ming, Jack and Li Meiyun. It introduces the Chinese language skills needed for communicating in various aspects of the life of a high school student of around 17 years of age.

2. The same characters are used throughout the stories to maintain continuity and help the students understand the context. Of the main characters, Ma Ming and Jack have appeared in Book 2. Such an arrangement allows the students to be familiar with the content as quickly as possible.

3. These stories are mostly based in major cities in North America. However some units bring in such topics as "travelling or studying in China", which serves as an introduction to content like "studying and living in the mainland of China" in Book 4.

VI. About *Pinyin* – the arrangement of *Pinyin* and characters

The texts in *Learn Chinese with Me (the Student's Book 1)* adopt a bilingual system. Chinese characters are printed above their corresponding *pinyin* to highlight the characters, whereas in Book 2, the *pinyin* is in light color in order for the students to get used to reading characters gradually. In Book 3, the degree of the difficulty is higher. For the words that have already appeared in the previous two Books no *pinyin* is given. Only new words are provided with *pinyin*.

The teacher should pay attention to any reading obstacles the students may encounter during the process of learning and go over the characters and words the students have learnt so as to help them to overcome difficulties and become more accustomed to reading characters without *pinyin*.

VII. Cycles and revision of teaching points

Revision is arranged in the last lesson of each unit. The main content is as follows:

1. Review of the texts — the words, expressions and sentence patterns of that unit are re-presented in a narrative text to help the students to summarize.

2. Exercises — to enable students to master the content of that unit via class activities, practice and other extra-curriculum tasks in which Chinese is needed.

3. Reading — 2～3 short stories about the idioms in that unit.

4. Grammar summary — the key grammar points are summarized and presented in tables every two units.

5. Chinese characters — characters that have appeared in that lesson.

VIII. The preliminary activities in Book 3

1. The preliminary steps to the entire book

① Objective

As a continuity of Book 1 and 2, it helps the students to further learn about other aspects of China — China's administrative divisions, and be more familiar with the cultural background of the Chinese language.

② Content

a. Introduction of China's administrative division

b. Appreciating and doing facial makeup in Peking opera — to help the students to understand Chinese traditional culture through a hands-on approach such as doing facial makeup.

③ Guidance

a. With the help of the map provided in the book, the teacher may like to encourage the students to locate certain provinces and cities or induce them to learn about the characteristics of the dialects, and the conditions and customs of different provinces and cities. This could be carried out by referring to the introduction of Chinese dialects, geography, products and ethnic etc. in Book 1 and 2.

b. By referring to the facial makeup and stories in Peking opera provided in the Student's Book, the teacher might like to suggest the students to watch or listen to

Peking opera and help them to do the makeup.

④ How to use these preliminary activities

a. The teacher may like to encourage the students to look for maps of China in the library so as to understand the relations between the administrative divisions and their geographical locations. For example, the origin of the names of Henan and Hebei has something to do with the Yellow River ("He" in Chinese means river. Here it refers to the Yellow River).

b. The teacher can ask the students to find some relevant materials to do the facial makeup in Peking opera using the instruction given later in this book.

⑤ Reference materials

a. China's administrative division

The People's Republic of China is made up of 23 provinces, 5 autonomous regions, 4 municipalities directly under the Central Government and 2 special administrative regions.

The 23 provinces and their abbreviations are: Hebei Province (Ji), Shanxi Province (Jin), Liaoning Province (Liao), Jilin Province (Ji), Heilongjiang Province (Hei), Jiangsu Province (Su), Zhejiang Province (Zhe), Anhui Province (Wan), Fujian Province (Min), Jiangxi Province (Gan), Shandong Province (Lu), Henan Province (Yu), Hunan Province (Xiang), Hubei Province (E), Guangdong Province (Yue), Hainan Province (Qiong), Sichuan Province (Chuan or Shu), Guizhou Province (Gui or Qian), Yunnan Province (Yun or Dian), Shaanxi Province (Shaan), Gansu Province (Gan or Long), Qinghai Province (Qing), and Taiwan Province (Tai).

The 5 autonomous regions and their abbreviations are: Inner Mongolia Autonomous Region (Neimenggu), Ningxia Autonomous Region (Ning), Xinjiang Autonomous Region (Xin), Tibet Autonomous Region (Zang) and Guangxi Autonomous Region (Gui).

The 4 municipalities directly under the Central Government and their abbreviations are: Beijing (Jing), Shanghai (Shen or Hu), Tianjin (Jin), and Chongqing (Yu).

The 2 special administrative regions and their abbreviations are: Hong Kong Special

Administrative Region (Gang) and Macao Special Administrative Region (Ao).

b. Eight Chinese regional cuisines and their flavors

Sichuan Cuisine, Hunan Cuisine, Zhejiang Cuisine, Jiangsu Cuisine, Guangdong Cuisine, Fujian Cuisine, Anhui Cuisine and Shandong Cuisine

Sichuan Cuisine and Hunan Cuisine mainly have a spicy flavor; Zhejiang Cuisine and Jiangsu Cuisine have a rather light flavor and are a bit sweet; Guangdong Cuisine and Fujian Cuisine have seafood as their representative dishes; Anhui Cuisine and Shandong Cuisine are close to the northern flavor, which is rather strong.

c. How to do the facial makeup in Peking opera

① Outline of the facial makeup in Peking opera

| Cao Cao | Baogong | Zhong Kui | Sun Wukong |

● Cao Cao

Cao Cao was a famous statesman, strategist, and writer in the Three Kingdom Period. However in *Romance of the Three Kingdoms*, he is described as a treacherous court official. Most stories in Peking opera related to Cao Cao are drawn from *Romance of the Three Kingdoms*, such as *All the Heroes Come Together*, and *Huarong Path* etc. The facial makeup of Cao Cao is white to show his fraudulent characters.

● Baogong

The real name of Baogong is Bao Zheng, who lived during the Northern Song Dynasty. In China he is a household figure — almost everyone knows his stories. In Peking opera Baogong is an upright, impartial and incorruptible figure. His face is painted black to show his character. There are many plays with Baogong as the leading role, such as *Qin Xianglian (the Case of Executing Chen Shimei)*, *Righteousness above Family Loyalty* and *Beating the Emperor's Gown* etc.

The story of *Qin Xianglian (the Case of Executing Chen Shimei)* is as follows: Chen Shimei went to the capital to take part in the imperial examination and his wife Qin Xianglian was reluctant to see him off. Chen Shimei swore that he would never forget her. Later Chen got an excellent mark in the examination and lied that he was still single when the emperor wanted to marry the princess to him. At that time, a severe famine occurred, and Chen's parents died from old age, illness and hunger. Qin Xianglian had to take her daughter and son to the capital to look for Chen Shimei. However, due to the temptation of great fame and wealth, Chen Shimei refused to accept them. Left in desperation, Qin Xianglian intended to go to the government office in Kaifeng, presided by Bao Zheng, to file a lawsuit against Chen Shimei. Having been informed of this, Chen, however, sent Han Qi, one of his servants, to kill Xianglian and the children. Xianglian told Han Qi what she had been suffering and Han deeply sympathized with her and let them go. Realizing that he had failed to carry out Chen's order and couldn't go back to face him, Han committed suicide. Xianglian arrived at Bao Zheng's office and told him the evil things Chen had done to her and the children. With great hatred for Chen's viciousness and despite the threat and interference from the emperor's mother and sister, Bao Zheng executed Chen Shimei by law.

● Zhong Kui

Zhong Kui is also a household name in China. According to ancient records, Zhong Kui originally lived in the Tang Dynasty. It is said in a legend that he went to the capital to participate in the imperial examination. Unfortunately he received an awful result. He was so angry that he threw himself against a pillar and died. After his death, the emperor in heaven made him god of the demon killers to punish evil spirits.

Zhong Kui Marrying His Sister is a famous story about Zhong Kui. In this story, Zhong Kui and Du Ping, a man from the same town, went to the capital for the examination together. Zhong Kui killed himself by bashing himself against a pillar because he was so ashamed of the poor examination result he had got. Later the emperor in heaven appointed him the god of demon killers. To thank Du Ping for burying his body, Zhong Kui returned home and decided to marry his sister to Du Ping. Thus, he and his ghost soldiers escorted her to Du Ping's home.

Zhong Kui is a kind-hearted, upright man; therefore, his facial makeup can give people a sense of beauty, although it looks like an ugly ghost. In Peking opera, Zhong Kui takes an image of flat and lifted shoulders with a dented neck. That's because his head was pushed back into his neck after the manner of his death.

● Sun Wukong (The Monkey King)

Sun Wukong (the Monkey King) is a character in *Journey to the West*, one of China's literary classics. Sun Wukong was originally a monkey and his facial makeup reflects this. In Peking opera, there are many plays about Sun Wukong. *Monkey King Subdues the White Bone Demon* is one of the most famous. In this play, Tangseng and his three disciples were on their way to the Western Heaven to acquire Buddhist scriptures. When they arrived at Mount Wanzi, they encountered the White Bone Demon, who intended to eat Tangseng's flesh. She used magic twice and transformed herself into a village girl and an old woman respectively in order to fool Tangseng, but the Monkey King saw through her tricks and killed both of her transformations. Finally, the White Bone Demon transformed into a white-haired old man who lied that he had come to look for his wife and daughter, but this trick still could not fool the Monkey King's fiery eyes and diamond pupils. Despite the incantations Tangseng chanted to stop him, Monkey King lifted up his golden cudgel and killed the false figure. In a rage and blaming him for killing three people, Tangseng drove the Monkey King away back to Mount Flowers and Fruits where the Monkey King was originally from. As a result, the White Bone Demon, who wanted to invite over her mother to enjoy eating his flesh with her, captured Tangseng. The Monkey King killed the demon's mother (a fox) on her way to White Bone Demon's home and took her form to go to the feast. In the end the White Bone Demon was killed and Tangseng rescued.

② Methods and steps of facial makeup

● Make a mask

〈1〉 Make a mud face model according to the shape and size of an actual person's face.

〈2〉 Allow the mud face model to dry. Mix plaster and water together, put the mixture onto the mud face model to make a mould. Before doing this, spread some vegetable oil on the mud face model so as to prevent the plaster from sticking to the mud.

〈3〉 Soak some cotton paper in water and spread it in the plaster mould. Brush some emulsion paint onto this and repeat the process... repeat this process six or seven times (i.e. apply six or seven layers of cotton paper and emulsion). When there is a moderate thickness of cotton paper on the mask the procedure is complete.

〈4〉 When it has dried, remove the paper surface and make holes for the eyes and nostrils. These should be large enough to allow the wearer to see and breathe adequately.

〈5〉 After smoothening out the rough areas with sand paper, the mask structure is complete.

● Draw an opera mask

〈1〉 On a piece of white paper draw a mask that is of the same size and shape as the one you have made. As most Peking opera masks are symmetrical, you should first draw a vertical line down through the middle and then draw the half of the facial feature on one side.

〈2〉 Copy the half you have drawn on to the opposite side. The drawing of the mask is now complete.

〈3〉The next step is to add the color. Firstly, use non-transparent watercolours. Paint a foundation color first.

〈4〉You can use white paint to conceal any lines that appear. Lastly, lines that need to be drawn on the face can be done so with black paint. After allowing the mask to dry you may want to apply some varnish to make it water-proof. The mask is now complete.

● Tie a length of elastic string from one ear to another.

2. The Lead-in ("Getting Started") to each unit and lesson

In the Student's Book 3, each unit and lesson has a unit "lead-in" (Getting Started) and a lesson "lead-in" (Getting Started). The objectives of these differ. The unit "lead-in" is to help the students to familiarize with the main content and topics to be learned thereby stimulating interest in the unit, whereas the lesson "lead-in" sets two goals. One is to help the students to "warm up" so as to understand the context. The other is to add some flavor of real life to the texts by way of short practical writing tasks that familiarize the students with Chinese expressions used in everyday life. This acts as a bridge to the realistic natural speech that the students will meet in Book 4.

The lesson "lead-in" falls into two parts. One is picture-based words, expressions or sentence patterns related with the texts, which are introduced to the students via an exercise of "Picture description" (pinyin). The purpose here is to help the students to "warm up" and familiarize with the new words, expressions and the main content of the texts to be learned thereby stimulating interest. The other is a short practical passage, the content of which is related to the main text. The intention is both to help the students to learn about practical Chinese writing and to enable them to do a little practical writing by following the text sample.

IX. Other suggestions on how to use the Student's Book 3

1. The listening comprehension materials and reading practice materials

① Listening comprehension materials

Listening comprehension aims at improving the students' listening, and it has two sections. Section I represents the text content from a different angle so as to help the students to go over the main points they have learned in that lesson. Section II contains some stories; the degree of difficulty of the stories is within the students' reach. This type of exercise attaches importance to fun and has enhancing the students' listening ability as its objective. Some of the new words that appear in these two sections are beyond the range of the vocabulary in textbook. For these type of new words, English translation is offered as well as some pictures where necessary. However, sometimes the teacher will still need to give explanations for certain words.

Certain exercises are provided in the listening comprehension part of each lesson. The first section is "true or false"; the second is "answer questions". The teacher can get the students to attempt these exercises according to their own needs. The answer keys to these questions can be found in the corresponding lesson in Teacher's Book 3.

② Reading practice materials

"Reading practice" aims at improving the students' pronunciation. Frequently reading language materials out loud and with strong rhythms can help the students pronounce correctly and speak Chinese fluently. This part attaches importance to the accuracy of pronunciation and the fluency of reading instead of the understanding of the content. Even so, in order to arouse the students' interest in the materials on the basis of understanding, translation and pictures have also been provided for some of the materials. Relevant background information and explanations can be found in the Teacher's Book.

2. Instructions on reading comprehension materials in the review lesson and supplementary materials in the Teacher's Book 3

A certain amount of reading materials are offered in the last lesson (unit review) of each unit for students whose Chinese level is above the class average. It also gives the teacher some flexibility in arranging his/her teaching. Most of these reading materials are related to the idiom that has appeared in each lesson. This can help the students to consolidate all the knowledge they have learned in this book. In this respect, the teacher will act as a guide.

There are some supplementary reading materials in the reference part of each corresponding unit for the teacher to choose should the reading materials in that unit not be sufficient. The teacher can, according to the students' level and interest, select some suitable materials for study. Although these may contain new vocabulary, the supplementary reading materials manage to correspond to the student's level of Chinese. The teacher will have to provide some explanations where necessary.

3. Writing exercises and activities

Writing is also a communicative skill. The writer can interact with his/her readers via written expressions. For people learning Chinese as their second language, writing has greater significance. Because the written symbols of Chinese — Chinese characters — are so fundamentally different from those of European languages, character recognition and writing have always been a challenge for Chinese learners whose mother tongues are phonetic. Constant "writing" can help the learners to remember and master the Chinese characters they have learned.

From Book 2 on, a certain amount of exercises on practical writing have been given intentionally. In Book 3, we strongly suggest that the teacher further emphasize writing skills. The teacher may ask the students to finish some writing in class or after class. Besides the subject matters provided in the preliminary steps, the teacher might also like to ask the students to write short passages in narrative form by following the example of the texts. Although the students can use computers to write, it is highly recommended that they write manually so as to familiarize themselves with the writing of characters.

4. The compiling principles of Chinese characters and suggestions on character teaching

The illustration on Chinese characters begins with analyzing the character structures; such analysis should be scientific, simple and easy. The teacher is not required to spend lots of time explaining Chinese characters to the students. Instead the teacher can select some typical examples of characters and explain them to the students according to their needs so that the students can draw inferences about other characters from these examples. However, for the convenience of the teacher, most of the instructions on characters are located in the Teacher's Book. The students should concentrate on practicing.

第一单元　美云一家

单元介绍

　　这个单元一共有四课，前三课都有两段课文，一段是对话体，一段是叙述体。对话体课文的主要目的是帮助学生学会在日常生活中的特定场合向熟悉的人打招呼、传口信、提建议等交际功能；叙述体课文的目的是帮助学生了解并学会用口述的形式成段描述人物、描述日常生活或某一生活场景。

　　第四课（复习课）采用第二册已经出现过的书信形式，以承上启下，便于在以后的单元中向一般的记叙文体过渡。

　　本单元上承第二册，以第二册的人物——马明和杰克在马明家门口见面为契机，引入第三个人物——李美云以及她的家庭。课文内容围绕李美云一家的生活展开，通过故事情节所提供的不同生活场景，向学习者介绍汉语日常用语和相关的文化知识。

1 她从香港来

一、教学目的

1. 了解打招呼用语"好久不见";
2. 学习问候老朋友;
3. 学习用成段的语言描述某人长相,相对全面地介绍某人情况。

二、教学内容

1. 交际功能:(1) 跟熟人打招呼
          (2) 问候朋友
          (3) 描述某人长相、介绍某人情况
2. 语言要点:(1) 程度补语
          (2) 形容词重叠
3. 语音教学:(1) 听力理解(录音文本见"参考资料")
          (2) 朗读练习(录音文本见"参考资料")

三、课堂练习与活动

(1) 关于"会话练习"

会话练习主要是根据对话体课文的功能来设计的,可以安排在学习完对话体课文之后进行,也可以安排在学习完全部课文之后进行。可以让学生两个人一组练习、表演。

(2) 关于"排序"活动

排序的句子有的是对话体课文中的,有的是叙述体课文中的,因此排序活动适宜在学习完全部课文后进行。先让学生读1～2遍课文,熟悉课文内容,然后进行排序。刚开始让学生自己排序,如果学生能很顺利地排出正确的顺序,说明学生的语感很好,对课文的内容比较熟悉。如果学生自己排序有一定困难,可以提示学生根据课文中相应的线索排序。

(3) 关于"说一说"

本课"说一说"的内容是用形容词的重叠形式来描述人的相貌。做完课本上的练习之后教师还可以补充一个练习：我的家人是什么样子？

让学生先画自己家中各个成员的漫画，要体现人物的相貌特点，例如"高高的、瘦瘦的、胖胖的、矮矮的"等等。画完后3个人一个小组，运用学过的词语给同学们介绍介绍。

(4) 课堂活动

课本中所设计的课堂活动大多都包含手工操作，教师一定要注意通过示范、讲解等方式让学生明白活动的做法。本课活动"团聚"的玩法是：3个人一个小组，先设计出3个人物的名字、长相、戴不戴眼镜等信息，然后每人制作一张卡片。卡片左侧是假设成员1（我）的情况，右侧是要寻找的假设成员2（朋友）的情况（见例子，3个人形成循环）。把全班的卡片混合，然后每个人随意抽取一张，根据卡片上的信息去询问别的同学"你是高高的吗？你是胖胖的吗？"，同学们根据自己拿到的卡片上的信息来回答，找到一个成员后，两个人一起去找第三个成员，最先成功团聚的小组为胜。

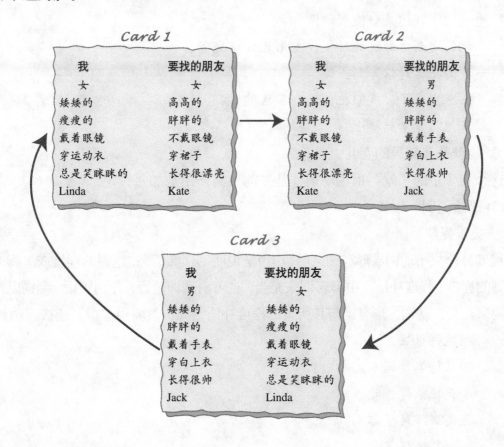

注意:(1) 学生制作卡片的过程中教师要来回巡视,注意学生是否做对了,是否正确理解了游戏的玩法。否则如果有一组卡片做错了,卡片混合之后再挑出来很麻烦。(2) 由于大家都是扮演假设的人物,因此假设的"我"可能与真实的我不一样。正因如此,只有通过询问对方"你是高高的吗?你戴着眼睛吗?你是Linda吗?"等等才能得到答案,因此教师要让学生先试一试怎样根据卡片的内容进行询问,确认学生们都会了之后再进行游戏。

四、参考资料

1. 课文注释与语法说明

(1) 课文注释

① 我在一家餐馆打工。

"打工"通常指进行非正式的短期工作。

② 我爸爸的朋友从香港搬到这儿。

在这个句子里,"到"做动词"搬"的结果补语。"到"做结果补语可以用来表示人或物通过动作到达某一位置。例如:

他们走到电影院的时候,电影已经演完了。

我要把这封信寄到上海。

杰克生病了,我们把他送到了医院。

请把花盆拿到楼上。

③ 她就是我邻居的女儿。

这个句子里的"就"用在动词"是"前,其作用是加强肯定。

(2) 语法说明

① 关于程度补语

程度补语位于动词或形容词之后,作用是说明动作的情态、达到的程度或事物的性质达到的程度。程度补语可由形容词来充当,也可由动词短语、介词短语、副词以及主谓结构来充当。动词、形容词与其所带的程度补语之间一般要用"得"连接。例如:

他跑得很快。

她长得像外国人。

今天他来得很晚。

他高兴得跳了起来。

风大得不得了。

当动词带宾语，同时有程度补语的时候，要重复动词。例如：

　　　她唱歌唱得很好。

　　　他写汉字写得很漂亮。

由形容词充当的程度补语的否定形式一般是在补语前加"不"。例如：

　　　他跑得不快。

　　　他说汉语说得不好。

需要注意的几个问题：

汉语学习者在使用程度补语时往往会出现下列错误：

〈1〉动词与程度补语之间不用"得"。

〈2〉在有宾语同时又有程度补语的动词谓语句中不重复动词。

〈3〉表达否定时将否定词放在动词的前面。如"他不打乒乓球打得好"。

教师可以根据学生的错误做一些有针对性的练习。

②关于形容词的重叠

汉语中的单音节形容词和一些双音节形容词可以重叠。单音节形容词的重叠形式是"AA"式，如"大大""长长"等等；双音节的重叠形式一般是"AABB"式，如"漂漂亮亮""高高兴兴"等等。本课只出现了单音节形容词的重叠。

形容词重叠后可以在句子中做定语、状语、补语，也可以做谓语。例如：

　　　他拿着一本厚厚的书。（定语）

　　　弟弟高高兴兴地走了。（状语）

　　　他把教室打扫得干干净净。（补语）

　　　她的脸圆圆的。（谓语）

本课只出现了形容词重叠做定语和做谓语。

形容词重叠做定语一般描写性很强。在形式上，重叠的形容词与中心语之间一般要加"的"。例如：

　　　他有一张圆圆的脸，一双大大的眼睛。

　　　他梳着短短的头发，很精神。

形容词重叠做谓语时后边要加"的"，多具有描写性。例如：

　　　她的头发长长的。

　　　叶子绿绿的，水也绿绿的。

2.语音教学

(1)听力理解文本：

A

王太太是我妈妈的朋友。她和她的先生从北京来，他们一家现在是我们的邻居。王太太高高的，瘦瘦的，经常笑眯眯的。她的先生矮矮的，胖胖的，戴着一副眼镜。他们只有一个女儿，叫小美，今年4岁，她有一张圆圆的脸，一双大大的眼睛，长得非常可爱。

判断对错：① 王太太是我爸爸的朋友。（错）

② 王太太和她的先生有一个女儿。（对）

③ 王太太矮矮的，胖胖的。（错）

④ 王太太的先生经常笑眯眯的。（错）

⑤ 小美的眼睛很大。（对）

⑥ 王太太的女儿今年4岁。（对）

B

李先生觉得很饿，他把车停在商店的门口，可是他不想下车。这时，他看到附近站着一个男孩儿。他给了男孩儿两块钱，说："你能帮我买两个汉堡包吗？你吃一个，我吃一个。"男孩儿说："好的。"半个小时以后，男孩儿回来了，他一边走一边吃着汉堡包。他把一块钱还给李先生，说："对不起，先生，商店里只有一个汉堡包了。"

回答问题：① 谁把车停在商店门口？

② 他为什么把车停在商店门口？

③ 他给了男孩儿什么？为什么？

④ 他对男孩儿说什么？

⑤ 半个小时以后男孩儿做了什么？

⑥ 李先生吃到汉堡包了吗？

(2) 关于朗读练习：

百川东到海，何时复西归？

少壮不努力，老大徒伤悲。

这是汉代乐府诗《长歌行》中的最后四句。它的意思是：河水向东流到大海里，不会倒过来向西流，就像人的年华一样一去不返。如果年轻时不努力，老了以后一事无成，那时后悔就晚了。"复"是"再"的意思；"徒"的意思是"空""白白的"。

中国的地势是西高东低，所以大部分的河流都由西向东流。因此，在汉语中常用"水向东流"来比喻不可改变的规律。

教师可以先讲解给学生听，让他们理解内容，然后再根据他们的兴趣和要求帮助他们练习朗读。

3. 学成语：按图索骥

这个故事出自明代杨慎写的《艺林伐山》。传说，春秋时代的秦国有一个很善于相马的人叫孙阳，因为他善于相马，所以人们又叫他伯乐。有一天，他看到路边有一匹马因为拉的车太重，被压在车下，这匹马一看见孙阳就大声地叫。孙阳很吃惊地说，这是一匹千里马，用来拉车太可惜了。

伯乐写了一本书，叫《相马经》，告诉人们怎样识别马的好坏。这本书里有两句话"隆颡蛈日，蹄如累麴"，意思是说，如果马的额头丰满，眼睛闪闪发光，蹄子又大又端正，这样的马就是千里马。他的儿子很蠢，按照书上说的去找，却找来一只癞蛤蟆。这就是"按图索骥"的故事。

这个成语用来形容那些办事死守成规、拘泥教条的人。

该故事的阅读短文在学生用书第4课。

4. 汉字部件

邦——"帮"字的声符。以"邦"为声符的字还有"梆""绑"等，但这几个字的声调不完全相同：梆（bāng）、绑（bǎng）。作为部件在书写时应该比单独的字瘦窄一些。

委——"矮"字的组字部件。从现代汉字学的角度讲，"委"与"矮"两字的读音相差很多，"委"只能是"矮"的组字部件。但在古代汉语中，两字读音相近，"委"是"矮"字的声符。作为部件在书写时应该比单独的字瘦窄一些。

半——"胖"字的组字部件。"半"和"胖"的现代读音相差很远，"半"只能是"胖"的组字部件。但从古音的角度讲，两字读音相近，"半"是"胖"字的声符。作为部件在书写时应该比单独的字要瘦窄一些。

夭——"笑"的组字部件。以"夭"为部件的字还有"妖""沃"等，其中"妖"与"夭"读音相同，是以"夭"为声符。而沃（wò）的读音与"夭"相差很多，只能是组字部件了。作为部件在书写时应该与单独的字有所不同。

员——"圆"字的声符。"员"是"員"字的简体。作为部件在书写时应该与单独的字有所不同。

5. 文化

"东方之珠"——香港

香港位于中国广东省深圳市之南，珠江口东侧，素有"东方之珠"的美誉。地域包括香港岛、九龙半岛等，面积1 095平方公里，1997年人口有650多万，气候属于亚热带湿润气候。香港自古为中国领土，1840年以后为英国人管辖，在香港设立总督府。1997年7月1日，中国政府成功地实行"一国两制"，重新恢复对香港行使主权，"东方之珠"又回到了祖国的怀抱。

香港市区集中在香港岛北部和九龙半岛南端，其余多为山地。香港工业较发达，以加工制造业和各种电子产品装配业为主。服装、玩具、电子表等轻工业产品出口量居世界前列。香港地理位置十分优越，是亚太地区联络欧、美、大洋州的枢纽，是世界上著名的自由贸易港。位于赤鱲角的香港国际机场已于1998年7月正式起用，使香港交通更加便利，观光、购物成为本地旅游业的重要特色。

2 我家的厨房

一、教学目的
1. 学会向别人传达口信；
2. 学习叙述家庭日常生活。

二、教学内容
1. 交际功能：(1) 向别人传达口信
              (2) 叙述家庭日常生活
2. 语言要点：(1) "刚"和"刚才"
              (2) 关联词语"一……就……""一边……一边……"
3. 语音教学：(1) 听力理解（录音文本见"参考资料"）
              (2) 朗读练习（录音文本见"参考资料"）

三、课堂练习与活动
(1) 关于"会话练习"

本课练习的是转述他人的话。课本中提供了多组词语替换，可以让学生两个人一组反复练习。最后还可以安排练得好的同学表演。

(2) 关于"排序"活动

本课排序中暗含了"刚才"和"刚"用法的比较。

(3) 关于"说一说"

本课"说一说"练习的是关联词语"一边……一边……"，做完课本上的练习之后教师还可以根据本班同学的实际情况，补充一些练习。

(4) 关于"比一比"

此练习主要是让学生练习使用有关房子布局的各种词语。可以让学生两个人一组进行比较，反复练习。

(5) 课堂活动："我家的房子"

为了让每个学生明确游戏规则，教师可以选择一组汉语较好的同学做示范，介绍自己家的房间布局，选择画画较好的同学画画。示范之后再让同学们进行课堂活动。

四、参考资料

1. 课文注释与语法说明

(1) 他刚走。

在这个句子里，"刚"是副词，用在动词前，表示动作在说话前不久发生。再看两个句子：

我们刚学完第一课。

他刚毕业。

电影刚结束。

"刚才"是表示时间的名词，也可以用在动词前，表示说话前不久的某个时间。用在动词前时，表示动作在说话前的某个时间发生。"刚才"与"刚"除词性不同外，用法也有所不同。"刚才"可以用在主语的前边，而"刚"不可以。例如可以说"刚才他来过"，却不可以说"刚他来过"。"刚才"的后面可以用否定词，而"刚"不行。如"刚才没下雨"，不能说"刚没下雨"。"刚才"能做定语，修饰名词，"刚"不能。如"刚才的事吓我一跳"，不能说"刚的事吓我一跳"。

(2) 请你一到家就给他打电话。

"一……就……"这一结构通常用来表示前一个动作刚完成，紧接着发生另一个动作。它既可以用来表示过去已经完成的动作，也可以用来表示将来要进行的动作。例如：

他一上完课就去吃饭了。

杰克一出门就看见了马明。

我打算一毕业就找工作。

别着急，我一上完课就去找你。

(3) 妈妈一边给大家准备中午的饭盒，一边听天气预报。

"一边……一边……"这一结构通常用来表示两个动作同时进行。再看两个例子：

他常常一边吃饭，一边看电视。

他们一边走，一边唱，高兴得不得了。

2. 语音教学

(1) 听力理解文本：

A

我家的客厅在楼下,楼上有3间卧室。我最喜欢的地方是我家的客厅。每天晚上一家人都在客厅见面。一回家我们就去客厅。爸爸喜欢一边喝茶,一边看报纸。妈妈一边给大家准备晚饭,一边在厨房里大声地说话。她想知道我和妹妹每天在学校干什么。我和妹妹一起看电视,常常听不见妈妈说什么,可是她还是大声地说。

判断对错：① 我家的卧室在楼下。（错）

② 每天晚上我们都在客厅见面。（对）

③ 爸爸喜欢一边喝茶一边大声地说话。（错）

④ 爸爸想知道我和妹妹每天在学校干什么。（错）

⑤ 爸爸、妈妈在客厅里,我和妹妹在厨房。（错）

⑥ 我和妹妹常常一起在客厅看电视。（对）

B

美华跑进房间对他妈妈说："妈妈,对不起,我把梯子推倒了。"妈妈正在看电视,她一边看着电视一边说："梯子把花砸坏了吗？"美华说："没有。"妈妈又问："梯子把鸟笼子砸坏了吧？"美华回答："也没有。"妈妈说："那就没关系了,你告诉爸爸把梯子扶好。""可是,爸爸在梯子上呢。"美华小声地说。

回答问题：① 美华干了什么？

② 美华跑进房间的时候,妈妈在干什么？

③ 妈妈问了几个问题？

④ 爸爸在哪里？

⑤ 你认为可能发生了什么事？

(2) 关于朗读练习：

　　路东住着刘小柳,路南住着牛小妞。

　　刘小柳和牛小妞,她们俩是好朋友。

这段绕口令可以帮助学生练习区分鼻音 n 和边音 l。

教师可以先讲解给学生听,让他们理解内容,然后再根据他们的兴趣和要求帮助他们练习朗读。

3. 学成语：黔驴之技

这个成语出自唐代柳宗元的《柳河东集》,是一个寓言故事。故事说,贵州（黔）古代没有驴,有人用船从外地运来了一头。运到了以后,又没什么用处,就把它放在山下。老虎看见驴的个子很大，以为是神。有一天驴大声地叫，虎很害怕，担心驴会吃它，跑得远远的。后来，虎看驴除了叫没有别的表现，胆子就大起来，跑到驴的身边，挑逗它，但驴除了用蹄子踢，不会别的。虎明白了驴虽然个子很大，却没有什么本领，就冲上去咬断它的喉咙，把它吃了。

这个故事用来比喻有的人（东西）表面上看起来很强大，但实际上没有什么了不起的本领。古代的"黔"在今天的贵州一带，"黔"现在是贵州省的简称。这个成语也可以说成"黔驴技穷"。应当注意，从结构上看，"黔驴之技"是偏正结构的名词性短语，而"黔驴技穷"是主谓结构，使用时有很大的不同。例如：

这不过是黔驴之技，没什么可怕的。

看来敌人已经黔驴技穷了。

该故事的阅读短文在学生用书第4课。

4. 汉字部件

正——"整"字的声符。按照《说文解字》的说法，它也是"整"字的意符。以"正"为声符的字还有"征""证""症""怔""钲"等，但这几个字的声调并不完全相同：征（zhēng）、证（zhèng）、症（zhèng）、怔（zhēng）、钲（zhēng）。作为部件在书写时应该比单独的字瘦窄一些。

束——"整"的组字部件。按照《说文解字》的说法，"束"是"整"的意符，从现代汉字的角度，也能体会出"束"与"整齐"之间的关系。作为部件在书写时应该比单独的字瘦窄一些。

我——"哦"字的组字部件。在古代汉语中，两字读音相近，所以按照传统的"六书"理论，"我"是"哦"的声符。但按照现代读音，两字有些差异，"我"只能是"哦"的组字部件。以"我"为部件的字还有"饿""鹅""俄""娥""峨"等。作为部件在书写时应该比单独的字瘦窄一些。

上——"让"的组字部件。两字在读音上虽然有一些差异，但我们还是可以看出它们在语音上的关系。"让"的繁体字写作"讓"，"襄"（xiāng）即该字的声符。作为部件在书写时应该比单独的字瘦窄一些。

妾——"接"字的组字部件。两字在读音上虽然有一些差异，但我们还是可以看出它们在语音上的关系。作为部件在书写时应该比单独的字瘦窄一些。

臣——按照《说文解字》的说法，"臣"是"卧"字的意符，"卧"表示的是"人臣"匍匐在地的情景。但现在已看不出这种意义上的联系，只能将"臣"看作是"卧"的组字部件。作为部件在书写时应该比单独的字瘦窄一些。

娄——"楼"字的声符。以"娄"为声符的字还有"喽""搂""篓""镂""蝼"等，但在现代汉语中，它们的声调并不完全相同："篓"（lǒu）、"喽"（lóu）、"搂"（lǒu）、"镂"（lòu）、"蝼"（lóu）等。作为部件在书写时应该比单独的字瘦窄一些。

厂——"厅"字的意符。"厂"读为"hǎn"，本义指的是山崖之形，下面可以住人（见《说文解字》）。因此，以"厂"为意符的字其意义多与山石或居所有关，因此"厅"字从"厂"。以"厂"为意符的字还有"厕""厩""厦""厨"等字，这几个字的意思均与居所有关。

氏——"纸"的组字部件。在古代，它们的读音相近，"纸"以"氏"为声符。但按照现代读音，两字有差异，"氏"只能是"纸"的组字部件了。以"氏"为部件的字还有"舐"（shì）。"氏"与"舐"读音相同，所以"氏"是"舐"的声符。作为部件在书写时应该比单独的字瘦窄一些。

予——"预"的声符。但两字的声调不同："予"（yǔ）；"预"（yù）。以"予"为声符的字还有"好"（yú）、"豫"（yù）。作为部件在书写时应该比单独的字瘦窄一些。

5. 文化

中国人的住房

自新中国成立一直到上个世纪80年代，中国的城市住房一直是福利性质的。这与非常稳定的工作制度相关，有工作的城市居民大多住在国家分配的房子里。一般来说，职位越高，年龄越大，住房就越宽大。在农村地区，人们一般住在自己建的房子里，比较宽敞，但各种生活设施十分简陋。从80年代中后期开始，随着中国经济体制的改革，城市居民的住房制度也进入转型期，开始由福利性的住房转变为住房的商品化。国家下决心革除旧的"分"房制度所带来的种种矛盾和弊端，减轻过去完全由政府负担住房所引起的沉重的财政负担，鼓励居民改变住房观念，自己购买住房。二十多年过去了，住房商品化的观念可以说已经深入人心，自己独立购买商品住宅已成为主要趋势。不过总的来说，目前中国城市居民的住房状况仍处于一个发展期，大致可分为以下几种情况：经济能力较好的人购买了产权完全属于个人的商品住房；还有相当一部分人也"买"了住房，但产权仍属于国家或工作单位，这类住房房价较低，实际上仍带有一部分福利性质；第三种情况是租房，又分为租住工作单位的住房和租住市场住房两种，前者租金较低，后者则贵得多。之所以出现这样复杂的局面，是因为住房制度改革仍处于一个过渡期，完全进入商品化还需要一段时间。另外，中国城市居民的住房大多是公寓式的，一栋住宅楼有不同的单元和楼层，住着很多户居民，只有少数富裕的人才买得起别墅式的住宅。

3 弟弟的宠物

一、教学目的

1. 学习提出建议与接受建议；
2. 学习描写室内方位。

二、教学内容

1. 交际功能：(1) 提出建议与接受建议
   　　　　　　(2) 描写室内方位
2. 语言要点：(1) 动态助词"着"，"会"表示"可能"
   　　　　　　(2) 复现"把"字句
3. 语音教学：(1) 听力理解（录音文本见"参考资料"）
   　　　　　　(2) 朗读练习（录音文本见"参考资料"）

三、课堂练习与活动

(1) 关于"会话练习"

本课练习的是提建议并进行回答。课本中提供了多组词语替换，可以让学生两个人一组反复练习。也可以根据当地学生常见的活动提供更多的替换词语，或让学生自己给出词语创造一些对话进行表演。

(2) 关于"排序"活动

本课排序活动中暗含了副词"也"的位置练习和复杂句的练习。

(3) 关于"演一演"

此练习主要是通过表演复习课文内容。

(4) 课堂活动："动物卡片配对"

教师事先准备好一套卡片，引导同学们回忆学过的汉语动物名称，在黑板上写出这些动物的名字和拼音之后，拿出准备好的卡片，请几个同学示范。示范之后再让同学制作卡片，进行活动。

四、参考资料

1. 课文注释与语法说明

(1) 关于动态助词"着"

动态助词"着"位于动词后，可以表示动作正在进行。如：

他们在教室里谈着话。

他在小路上慢慢地走着。

爸爸一边喝咖啡，一边听着音乐。

也可以表示一种状态的持续。如：

他的狗总是在门口站着。

他穿着一件白色的上衣。

教室的门关着。

有些非动作动词加"着"也可表示状态的持续。如：

弟弟养着很多动物。

她站在马路上等着过路的汽车。

动态助词"着"的否定形式是在动词前加"没"。如：

她没在教室里坐着。

弟弟没养着动物。

(2) 把狗关在你的房间里。

这是一个"把"字句。在汉语里，当句子的主语是施事者，主要动词后有结果补语"在"，表示施事者通过动作，使被处置的人或事物处于某个位置，一般不用普通的动词谓语句，而用"把"字句。这个句子里的"狗"是被处置的事物，施事者通过"关"这一动作，使"狗"在房间里。再看几个句子：

他把画挂在墙上了。

不要把鞋放在桌子上。

我想把车停在马路边。

注意：这种结构学生比较容易出现错误。如"我想把车停在马路边"这个句子，学生常常说成"我想停车在马路边"。

建议语法练习：

用合适的动词加"着"填空：

① 他给我打电话的时候，我正＿＿＿＿电视呢。

② 汽车都在马路边＿＿＿＿。

③ 等一会儿再走吧，外边＿＿＿＿＿＿雨呢。

④ 老师总是＿＿＿＿＿＿讲课。

⑤ 弟弟＿＿＿＿＿＿很多动物。

⑥ 他＿＿＿＿＿＿一件白色的衬衫。

2. 语音教学

(1) 听力理解文本：

A

我的朋友非常喜欢养动物，他养了许多动物。他有三只狗、八只猫、六只乌龟、两只鹦鹉。如果你去他的房间，一定要小心。你不能坐在床上，那里是猫睡觉的地方，你也不能坐在椅子上，那里是狗休息的地方。他的鹦鹉总是在窗户的旁边站着，一看见你，它就会问："你是谁？"乌龟在桌子下面。有时候，它们会出来，如果你不小心踩到它们，就会摔跤。

判断对错：① 我的朋友养的动物不多。（错）

② 桌子上是猫睡觉的地方。（错）

③ 狗在椅子上休息。（对）

④ 鹦鹉站在窗户的旁边。（对）

⑤ 乌龟在椅子下面。（错）

⑥ 我的朋友有八只猫。（对）

B

古时候有个人叫诸葛瑾，他的脸很长。他和朋友们在一起的时候，别人都笑话他，说他的脸像驴脸一样长。有一天，他带着儿子一起去参加皇帝的宴会。在宴会上大家都喝醉了，有人就找来一头驴，在驴的脸上贴一张纸，上面写着"诸葛瑾"。皇帝看了大笑，别的人也一起笑。他的儿子看了，对皇帝说："请您给我一支笔。"这个孩子在"诸葛瑾"的下面加了"的驴"两个字。皇帝看了很高兴，就把这头驴送给他的儿子了。

回答问题：① 为什么诸葛瑾的朋友笑话他？

② 别人为什么在驴的脸上贴一张纸？

③ 为什么大家看了这张纸都笑？

④ 他的儿子对皇帝说什么？

⑤ 为什么皇帝把驴送给诸葛瑾的儿子？

(2) 关于朗读练习：

树姥姥，最爱鸟，一群一群飞来了。

什么鸟，布谷鸟，千家万户把春报。

什么鸟，百灵鸟，唱红杏花唱红桃。

什么鸟，猫头鹰，捉只田鼠吃个饱。

树姥姥，最爱鸟，一群一群怀里抱。

教师可以先讲解给学生听，让他们理解内容，然后再根据他们的兴趣和要求帮助他们练习朗读。

3. 学俗语：吃不到葡萄说葡萄酸

这是一句俗语，意思是自己得不到的东西就说它不好。

4. 汉字部件

义——"议"的声符。以"义"为声符的字还有"仪"，但二者的声调不同："义"（yì）；"仪"（yí）。作为部件在书写时应该比单独的字瘦窄一些。

咸——"喊"的组字部件。在古代汉语中，它们的读音相近，"咸"是"喊"的声符。但按照现代汉语的读音，"咸"与"喊"的读音相去很远，"咸"只能是"喊"的部件了。作为部件在书写时应该比单独的字瘦窄一些。

婴——"鹦"的声符。以"婴"为声符的字还有"樱""缨""嘤"等，这几个字均读"yīng"。作为部件在书写时应该比单独的字瘦窄一些。

武——"鹉"的声符。作为部件在书写时应该比单独的字瘦窄一些。

羊——"养"字的组字部件。"养"的繁体字写为"養"，上面是"羊"字的变体，为声符；下面是"食"字，为意符。简化为"养"之后，该字由"羊"和"川"两个部件组成。

戎——"贼"的组字部件。从现代汉字的角度看，它是由"贝"和"戎"两个组字部件构成的。

5. 文化

北京人与宠物

可以说一直到今天，提笼架鸟仍然是北京极具特色的生活景观。在古代的北京，从皇帝、王公贵族到平民百姓，都喜欢以鸟、蝈蝈、蟋蟀为宠物。现在养鸟、养蝈蝈之类的爱好主要集中在老年人群体中，养宠物狗和猫则是年轻人的生活时尚。现在走在北京的大街上，到处可见遛狗的人们。调查显示，近几年北京和其他大城市宠物狗和猫的数量急剧增加，宠物乐园、宠物用品商店、宠物医院也大量涌现。由此出现了一些类似扰民、疾病传播等问题，已引起政府的注意。北京等城市已经制定了一些法规，比如养狗必须注册登记、挂牌遛狗、交纳管理费、定期免疫等。

宠物数量的增加，在某种程度上反映了人们生活方式的改变。过去北京人养蝈蝈很大程度上有赌博（斗蝈蝈）的目的，养猫也是为了捕鼠，应该说那时人们饲养动物很大程度上包含着实用的成分。而在经济困难时期，城市中狗、猫等动物的数量就更少了。如今，养宠物对很多人来说似乎是生活富足甚至是社会地位的象征。

事实上，饲养宠物可以使人愉悦性情、释放紧张的情绪，对成人可以减缓现代生活带来的压力，对老人和孩子则可以消除孤独，培养责任感和对生命的关爱，意识到这一点很重要。

4 这个城市跟香港很不一样

一、教学目的

复习本单元所学内容。

二、教学内容

1. 交际功能：(1) 复习给朋友写信

                  (2) 比较不同的环境

2. 语言要点：(1) 用"没有"表示比较

                  (2) 复习1~3课的语言点

3. 语音教学：(1) 朗读练习（录音文本见"参考资料"）

                  (2) 学唱汉语歌

三、课堂练习与活动

(1) 关于"匹配"练习

本练习应该在学习完所有课文之后再进行。

(2) 关于"排序"活动

本课排序练习中包含了"跟……一样"、"比"字句和用"没有"表示比较等句型的练习。

(3) 关于"词语分类"

此练习主要是通过词语分类综合复习本单元的新词语。

(4) 关于"你来说一说"

除课本中提供的练习内容外,教师还可以根据当地的实际情况提更多的问题让学生练习。

(5) 课堂活动："城市之间"

可以先让学生两个人一组找找城市之间的相同点和不同点，然后在全班汇报。

(6) 单元语言实践活动："两个家庭"

这是一个调查活动。教师要提前征求同学的意愿，选择两位同学作调查对象。活动之前，先准备好调查表，每个小组一份，按照调查表上的问题进行调查。调查过程中要鼓励学生多用汉语。活动结束之后，一定要让每个小组在班上汇报调查结果，或者写出调查报告，进行适当的总结。

四、参考资料

1. 课文注释与语法说明

(1) 课文注释

① 我们家搬到这里已经两个月了。

"两个月"是来说明"搬到这里"的时间长短，在语法上被称作"时量补语"。可参考第 7 课的语法说明。

② 秋天也比香港凉快多了。

"比香港凉快多了"与"比香港凉快得多"表达的意思相同。

(2) 语法说明：用"有"和"没有"表示比较

我们在第二册已学过用"比"来表达比较，在这一课我们又接触到用"没有"来表达比较，其句型是：

"A"没有"B"+形容词（动词结构）

我们先看几个句子：

> 我没有他高。
>
> 这里的夏天没有香港热。
>
> 这个城市没有那个城市大。
>
> 昨天没有今天冷。
>
> 我没有他那么爱看电影。

"没有他高"的意思就是"他比我高"；"没有香港热"的意思就是"香港比这里热"。这两种表达在语意上可以互换。

"有"也可以用于表示比较。"A 有 B 高"表示 A 的高度不低于 B，可能二者高度相同，也可能 A 比 B 高。这种结构一般多出现在问答句中。如：

> A: 你有他高吗？
>
> B: 我有他高。

在表示变化意义的陈述句中也可以用"有"表示比较。例如：

> 她已经有她妈妈高了。

关于用"没有"表示比较，学生往往不容易分清"没有……"与"比"字句的否定形式"不比……"的区别。我们用例子来说明：

他不比我高。

说"他不比我高"，实际上只否定了"他比我高"，而除此之外，还有两种可能：一是他的身高跟我一样；一是他比我矮。而"他没有我高"却只表示"他比我矮"。教师可以有针对性地做一些练习。

建议语法练习：

用"没有"表示比较的句子来回答括号里的问题：

① 上海的人口比北京多。（北京的人口比上海多吗？）

② 他十六岁，我十五岁。（你们俩谁的年龄大？）

③ 那个公园比这个公园漂亮。（哪个公园漂亮？）

④ 他的汉语比我好。（谁的汉语好？）

⑤ 香港的夏天比这里热。（这里的夏天比香港热吗？）

⑥ 昨天比今天冷。（今天比昨天冷吗？）

2. 语音教学

——关于"朗读练习和唱歌"：阿里山的姑娘

高山青，涧水蓝，

阿里山的姑娘美如水，

阿里山的少年壮如山。

阿里山的姑娘美如水，

阿里山的少年壮如山。

高山长青，涧水长蓝，

姑娘和那少年永不分，

碧水长围着青山转。

这是一首民歌的歌词，教师可以先让学生朗读，然后再听音乐学唱。

3. 补充阅读材料：按图索骥、黔驴之技（见学生用书第4课）

4. 汉字部件

成——"城"的声符。以"城"为声符的字还有"诚""宬""盛"等。其中"盛"字又读为"shèng"。作为部件在书写时应该比单独的字瘦窄一些。

召——"超"组字部件。"召"与"超"两字的现代读音虽然并不完全相同，但还是可以看出它们之间在声音上的联系。以"召"为声符的字有"昭""招""诏""沼"

等，但它们的声调也不完全相同："昭"（zhāo）、"招"（zhāo）、"诏"（zhào）、"沼"（zhǎo）。作为部件在书写时应该比单独的字瘦窄一些。

夗——"餐"字的声符，但两字的声调有些区别："夗"（cán）；"餐"（cān）。"夗"字今天已很少使用。

贯——"惯"字的声符。以"贯"字为声符的字还有"掼"。作为部件在书写时应该比单独的字瘦窄一些。

丮——"那"字的组字部件。

亭——"停"的声符。以"亭"为声符的字还有"婷"（tíng）。作为部件在书写时应该比单独的字瘦窄一些。

5. 文化

中国的城镇化

到2002年底，中国设有城市660个，建制镇20 600个，城镇化水平达到39.1%。业内专家认为，中国已进入城镇化快速发展时期。

城镇化是人类生产与生活方式由农村型向城市型转化的历史过程，主要表现为农村人口转化为城市人口及城市不断发展完善的过程。它包括同步发生的两个过程：一个是农业人口向非农业人口转移，向城镇集中，城镇人口和城镇数量逐渐增加；另一个是农业生产、农村生活质量的逐步城市化。

从世界城镇化进程来看，城镇化率从36%提高到60%属于加速期，中国的城镇化率还将不断提高，目前正处在发展阶段，这是当前中国城镇化的主要特征。

业内专家指出，当前对于城镇化的理解存在一些误区，如认为只要加快城镇化就会带来经济发展，过分强调城镇化对拉动经济的作用；过分看重城镇化率的数字；一些中小城市不切实际地提出建设国际化大都市的目标等。两院院士吴良镛等专家谈到，城镇化率不宜作为各地发展指标互相攀比。城镇化率的数字并非越高越好，一些发展中国家存在虚涨城镇化指标的现象，大量贫穷的农村人口盲目流入大城市，虽然城镇化率很高，但国家经济发展水平低，加剧了城市的社会问题。

6. 备用阅读材料

(1) 妈妈的微笑

妈妈去世（qùshì, pass away）已经两年了，但是我还记得（jìde, remember）她笑的样子。我很小的时候，妈妈就生病了，她不能上班 (shàngbān, on duty)。每天我放学 (fàngxué, class is over) 的时候，妈妈总是 (zǒngshì, always) 笑着在学校门口等我。我和妈妈一起回家，在路上，妈妈告诉我，怎么过马路 (guò mǎlù, cross the road)，怎么买东西。后来，妈妈的病重 (bìngzhòng, be ill badly) 了，每天我回家，妈妈躺在床上告诉我，怎么做饭，怎么打扫房间。妈妈的病越来越重，她不能自己吃饭了。我喂 (wèi, feeding) 她吃饭，她笑着说：以前我喂你，现在你喂我，你是我的小妈妈了。妈妈死了，但是她的微笑 (wēixiào, smile) 一直和我在一起。(改写自《读者》2004年第14期)

(2) 孙猴子的故事

你认识孙悟空 (Sūn Wùkōng, The Monkey King) 吗？我们很多人是从《西游记》(Xīyóujì, *Journey to the West*) 这本书里认识他的。《西游记》是中国明代作家吴承恩 (Wú Chéng'ēn, the author's name) 写的一部小说。这部小说里写了唐僧去西天取经 (Tángsēng qù xītiān qǔjīng, Tangseng went to the West to ask for Buddhist scripture) 的故事。传说孙悟空是从石头里面蹦 (bèng, leap out) 出来的，没有人知道他的父母是谁。他的样子像猴子，他的老师就给他取了"孙悟空"这个名字。他跟老师学了很多功夫 (gōngfu, martial arts) 以后，就来到一个叫做花果山 (Huāguǒshān, the name of a mountain) 的地方，带着很多猴子，过着快乐的生活。可是，有一次，他得罪 (dézuì, offend) 了天上和地下的很多神 (shén, deity)，他们就把他压 (yā, keep under control) 在一座 (zuò, a measure word for mountain) 山下。他在那里住了500年，一直到有一天唐僧来到这座山前，把他放了出来。从那时开始，他就保护 (bǎohù, protect) 唐僧，跟唐僧一起去西天取经。唐僧取经在历史 (lìshǐ, history) 上是真的，但是，历史上有没有孙悟空就不知道了。不过，每个中国人都知道他的名字。每个中国孩子都喜欢他，他们叫他孙猴子。

(3) 白蛇的故事

有的人喜欢蛇 (shé, snake)，可是有的人不喜欢。不过，在中国浙江省杭州市 (Zhèjiāng Shěng Hángzhōu Shì, the city of Hangzhou in Zhejiang province) 西湖 (Xīhú, the West Lake in Hangzhou) 边有一个关于蛇的故事是很多中国人都喜欢的。这就是白蛇的故事 (báishé de gùshi, the story of a white snake)。传说 (chuánshuō, fame) 有一条白蛇很想过人的生活，就在端午节 (Duānwǔjié, the Dragon Boat Festival) 这一天变成一个漂亮的姑娘来到西湖边。她在这里遇到 (yùdào, meet) 了一个年轻人 (niánqīng rén, young people)，而且爱上了这个年轻人。他们结婚了，生活很幸福 (xìngfú, happy)，还有了

一个孩子。后来，有一个和尚 (héshang, monk) 知道她是一条蛇，就想办法要杀死 (shā sǐ, to kill) 她，把她和她的丈夫 (zhàngfu, husband)、孩子分开 (fēnkāi, detach)，还把她压在一座塔 (yí zuò tǎ, a tower) 的下面。有人把白蛇的故事编成 (biānchéng, edit) 了京剧剧本 (jùběn, play)，叫做《白蛇传》。你看过这个京剧吗?

(4) 孟母三迁

孟子 (Mèngzǐ, Mencius) 是中国古代著名 (zhùmíng, famous) 的思想家 (sīxiǎngjiā, ideologist)。在他小的时候，父亲就死了，母亲一个人抚养 (fǔyǎng, bring up) 他。他的家离墓地 (mùdì, graveyard) 很近，所以孟子就经常学一些丧葬 (sāngzàng, buries)、痛哭这样的事。母亲觉得这样的地方不适合孩子居住，于是就离开了，把家搬到了闹市旁。可是这个新家离杀猪宰羊 (shā zhū zǎi yáng, kill the pigs or sheep) 的地方很近，过了不久，孟子又学了一些跟杀猪宰羊有关的东西。母亲想:"这个地方也不适合孩子居住。"于是又把家搬到学官旁边。夏历每月初一这一天，官员进入文庙，行礼跪拜 (guìbài, worship on bended knees)，互相谦让 (qiānràng, modestly decline)，孟子见了，一一记住。孟母想:"这才是孩子居住的地方。"就在这里定居 (dìngjū, to settle down) 下来了。

第一单元评估与测验

一、看词语，写拼音。

          （　）（　）（　）（　）

第1课   矮   眼镜   暑假   邻居

        （　）（　）（　）（　）（　）（　）

第2课   帅   报纸   整齐   准备   客厅   卧室   厨房

      （　）（　）（　）（　）（　）（　）

第3课   咬   站   踩   小心   盒子   摔跤   大喊大叫

      （　）（　）（　）（　）（　）

第4课   停   城市   人口   出门   超市   早餐

二、读拼音，写词语。

         yǎnjing   kě'ài

第1课   （　）   （　）

         shàngbān gāngcái lóu shang tiānqì yùbào

第2课   （　）   （　）   （　）   （　）

         yǎng   jiànyì   yídìng   lǐmiàn

第3课   （　）   （　）   （　）   （　）

         mǎlù guǎnggào xíguàn yuànzi xiàtiān qiūtiān

第4课   （　） （　） （　） （　） （　） （　）

三、把下面的句子翻译成英语。

第1课

(1) 他暑假过得不错。

(2) 我在帮我的邻居搬家。

(3) 我爸爸的朋友从香港来。

(4) 他高高的，瘦瘦的，戴着一副眼镜。

(5) 他的太太矮矮的，胖胖的，经常笑眯眯的。

(6) 她长得很漂亮。

(7) 他长得很可爱。

(8) 他有一张圆圆的脸，一双大大的眼睛。

第 2 课

(1) 刚才有一个人来找你。

(2) 他让我告诉你他可以开车来接你。

(3) 请你一到家就给他打电话。

(4) 每天早晨我们一起床就去厨房，在那儿吃早饭。

(5) 爸爸喜欢一边喝咖啡，一边看报纸。

第 3 课

(1) 把狗关在房间里。

(2) 我有个建议。

(3) 把我的乌龟和鹦鹉放在你的房间里。

(4) 我弟弟养着许多动物。

(5) 他的狗总是在门口站着。

(6) 有时候，乌龟会出来。

(7) 如果你不小心踩到动物，就会摔跤。

(8) 桌子下面放着一个盒子。

第 4 课

(1) 我们家搬到这里已经两个月了。

(2) 这里的夏天跟香港一样热。

(3) 这里的人口没有香港的多。

(4) 现在我已经习惯在家里吃早餐了。

(5) 每个星期天我和弟弟都把院子打扫得干干净净。

(6) 请向我们的朋友问好！

(7) 祝你万事如意！

四、回答问题。

第1课

(1) 你最近过得怎么样？

(2) 你的朋友从哪儿来？

(3) 你妈妈戴眼镜吗？

第2课

(1) 你什么时候吃早饭？（一……就……）

(2) 你吃完饭了吗？（刚）

(3) 有人给我打电话吗？（刚才）

第3课

(1) 你喜欢养动物吗？

(2) 明天出去玩，好吗？（一定）

(3) 我的书在哪儿？（把……放在……）

(4) 明天你在家里吗？（会）

第4课

(1) 这儿的夏天热不热？（没有）

(2) 这儿的秋天凉快不凉快？（跟……一样）

五、写短文。

第1课

用下面的词语介绍一个你熟悉的人。

矮矮的/高高的　　瘦瘦的/胖胖的　　长得……

第2课

用下面的词语介绍你们家星期六/天的上午或者晚上的情况。

一边……一边……　　一……就……

第3课

(1) 用下面的词语介绍教室或者你们家客厅。

　　下边　里面　旁边　门口　把……放在……

(2) 用下面的词语介绍一种动物。

　　小心　关　咬　大喊大叫

第 4 课

用下面的词语介绍你所在的城市。

马路　　广告　　夏天　　秋天　　　没有

第二单元 娱乐休闲

单元介绍

　　这个单元共有四课，课文形式和第一单元相同，也是在前三课里安排了一段对话体和一段叙述体课文。对话体课文的话题主要与参观、看京剧、看电影等兴趣爱好相关，在语言功能上涉及到交流信息、协商解决问题、说明原因以及对一些问题进行简单的讨论等，引导学生简单地发表自己的观点。叙述体课文与第一单元相同，仍采用口述成段语句的形式，帮助学生了解并学会用口述的形式讲述人物的生活、表达自己的愿望以及描述他人的情况等等。在语言结构上主要介绍简单趋向补语、数量补语等。

　　人物活动仍以马明、杰克和美云及其朋友为主线。

　　复习课的课文略长一些，以便将学生引入较正式的记叙文体的学习。

5 我也想到中国去

一、教学目的

1. 学会和很久没见面的朋友相互了解情况；
2. 学习叙述事情的经过。

二、教学内容

1. 交际功能：(1) 和很久没见面的朋友相互了解情况

　　　　　　　(2) 叙述事情的经过

2. 语言要点：简单趋向补语

3. 语音教学：(1) 听力理解（录音文本见"参考资料"）

　　　　　　　(2) 朗读练习（录音文本见"参考资料"）

三、课堂练习与活动

(1) 关于"会话练习"

本课会话练习的内容是询问和表达有关他人的信息。

(2) 关于"说一说"

本课"说一说"的练习内容是"到……去了""带来了……"句式。做完课本上的练习之后教师还可以根据本班同学的实际情况，补充一些练习。

(3) 课堂活动：

教师要让同学们提前准备照片，也可带一些自己旅行时的照片向同学们介绍，以引起学生用汉语表达的兴趣。

四、参考资料

1. 课文注释与语法说明

语法说明：关于简单趋向补语

在汉语里，"来"和"去"可以放在动词后边做补语，表示动作的趋向。"来"表示动作朝着说话人的方向进行，"去"表示动作背着说话人的方向进行。我们把由"来"和"去"充当的补语，叫作简单趋向补语。课文中的句子"我也想到中国去"，"去"就是简单趋向补语。

在具体的语言使用中，用"来"还是用"去"，取决于说话人的位置，因此首先要搞清楚说话人在什么位置。我们看几个例子：

马明到上海去了。（说话人不在上海）

马明到上海来了。（说话人在上海）

马明进教室去了。（说话人在教室外）

马明进教室来了。（说话人在教室里）

上面所举的例句，动词的宾语都是表示处所的词，这样的宾语一定要放在动词和趋向补语之间。这种句式的结构是：

主语＋动词＋处所名词＋"来/去"

我们看几个例子：

他刚上楼去。（说话人在楼下）

看，他下楼来了。（说话人在楼下）

别在外面站着，进屋来吧。（说话人在屋里）

杰克，快过这边来。（说话人在"这边"）

学生在学习这种句式时，经常出现的错误是将处所名词放在趋向补语的后面。典型的错句是：

马明进去教室了。

教师可通过与英语对比的方式，使学生明确这种语法结构。

如果动词所带的宾语是普通名词，宾语既可以放在动词与趋向补语之间，也可以放在趋向补语之后。其结构是：

主语＋动词＋"来/去"＋名词

或：主语＋动词＋名词＋"来/去"

例如：

他给我寄来了一封信。

他给我寄了一封信来。

他带了几个苹果来。

他带来了几个苹果。

如果动作、行为尚未实现，则常用"主语＋动词＋名词＋'来/去'"结构。例如：

请给我带几个苹果来。

爸爸说他要给我寄一些钱来。

建议语法练习：

(1) 在横线上填上合适的趋向补语：

① 外面下雨，别出 _____ 了。

② 杰克刚出 _____，你一会儿再打电话 _____，好吗？

③ 这里很漂亮，你们快过 _____ 吧。

④ 山上有很多人，我们也上 _____ 吧。

⑤ 楼下有人叫你，你下 _____ 吧。

⑥ 杰克刚从中国回 _____，带 _____ 了很多好玩儿的东西。

(2) 给括号里的词选择一个适当的位置：

① 马明 A 回 B 中国 C 了 D。（去）

② 我的中国朋友 A 给我 B 寄 C 了 D 一封信。（来）

③ 外面很冷，A 快 B 进 C 屋 D 吧。（来）

④ 你 A 把我的书 B 带 C 了 D 吗？（来）

2. 语音教学

(1) 听力理解文本：

A

杰克前天见到了以前的同学王小雨。他们已经一年没有见面了，杰克差点儿不认识王小雨了。她现在长得很高，也瘦了许多。去年她到中国去了，她在云南住了一年。现在她说汉语说得非常好。这一年，她参观了许多地方。她还去西双版纳参加了泼水节。她说大理也很漂亮，不过没有西双版纳那么大。她还从中国给杰克带来了一件礼物。

判断对错：① 王小雨是杰克以前的同学。（对）

② 杰克不认识王小雨。（错）

③ 王小雨以前又高又瘦。（错）

④ 王小雨去大理参加了泼水节。（错）

⑤ 西双版纳比大理大。（对）

⑥ 王小雨在中国住了一年。（对）

B

今天上地理课的时候，老师问世界上最高的山是什么山，李美华回答说："二郎山。"老师觉得很奇怪，问美华："二郎山是什么山？"美华说："我爸爸常常唱一支歌，歌词里有'二郎山，高万丈'，一丈等于3米，万丈就等于30000米，老师讲的世界第一高峰珠穆朗玛峰只有8848米，二郎山比珠穆朗玛峰高多了，所以它一定是世界上最高的山。"

回答问题：① 老师问了什么问题？

② 美华为什么认为二郎山是最高的山？

③ 你听说过二郎山吗？

④ 老师是不是讲错了？为什么？

⑤ 你认为美华说的对不对？为什么？

(2) 关于朗读练习：

去年今日此门中，人面桃花相映红。

人面不知何处去，桃花依旧笑春风。

这是唐代诗人崔护的一首诗，题为《题都城南庄》。诗里讲了一个故事：诗人春天郊游来到了长安（唐代首都，在今天的西安一带）郊区的南庄。在盛开的桃花林里，有一家农户，一位姑娘接待了他，给他留下难忘的印象。第二年的春天，他再次来到这里，但是那家农户院门紧闭，他没有看到姑娘，只看到盛开的桃花，诗人很失望。

教师可以先讲解给学生听，让他们理解内容，然后再根据他们的兴趣和要求帮助他们练习朗读。

3. 学成语：名落孙山

这是一个成语，故事出自宋朝范公偁《过庭录》。故事说，有一个叫孙山的苏州人，很有才，也很幽默。他到别的地方参加考试，他的同乡让自己的儿子跟他一起去。考试结果公布后，孙山考中了，但在考中的人中是最后一名，可是乡人的儿子落选了。孙山先回到家里，乡人问孙山自己的儿子考中了没有，他说："解名尽处是孙山，贤郎更在孙山外。"意思是，在考中的人中，我是最后一名，您的儿子还在我的后面。后来就用"名落孙山"指考试没通过或因为不合格而落选。

阅读文本见学生用书第8课。

4. 汉字部件

肖——"消"的声符。以"肖"为声符的字还有"销""削""宵""硝"等，它们均读为 xiāo。此外，在古代汉语中，"俏""悄""峭""鞘"等字的声符也是"肖"，但这几个字的现代读音与"肖"并不相同："俏"（qiào）、"悄"（qiāo）、"峭"（qiào）、"鞘"（qiào）。作为部件在书写时应该比单独的字瘦窄一些。

前——"前"的组字部件。

暴——"瀑"的组字部件。在古代汉语中，"暴"与"瀑"读音相近，所以依据传统的"六书"理论，"暴"是"瀑"的声符。但从现代汉语的角度讲，"暴"与"瀑"的读音相去甚远，"暴"只能是"瀑"字的组字部件了。

䒑——"羡"的组字部件。"䒑"是"羊"字的变体，从"六书"的角度讲，"羊"是"羡"的意符，但今天已经看不出这两个字在意义上的联系，"䒑"只能看作是"羡"字的组字部件了。

㣺——"慕"的意符。"㣺"是"心"字的变体。"慕"是发自心中的一种感情，所以从"心"。以"㣺"为意符的字还有"恭""忝"。

5. 文化

中国电影

1906年，北京丰泰照相馆拍摄了戏曲片《定军山》，这标志着中国国产电影的开始。从那以后，20世纪20～40年代尽管战乱频频、烽火连绵，但中国电影还是出现了郑正秋、蔡楚生、费穆、阮玲玉等一批杰出的电影人和《孤儿救祖记》《神女》《渔光曲》《马路天使》《小城之春》《一江春水向东流》《万家灯火》等一批经典影片。1949年以后，尽管中国政治风云迭起，但仍出现了《祝福》《林则徐》《林家铺子》《早春二月》《青春之歌》《舞台姐妹》等一批优秀影片。随后文化大革命的10年，中国只拍摄了11部电影，其中8部是根据样板戏拍摄的舞台剧，"文革"十年浩劫几乎使中国电影遭受了灭顶之灾。

新时期中国影坛出现了四世同堂的创作局面。"第三代"电影人谢晋、谢铁骊、凌子风、赵丹等重新焕发了青春；"第四代"电影人吴贻弓、谢飞、张暖昕、吴天明等以对电影语言的积极探索推动了中国电影美学的演变；而"第五代"张艺谋、陈凯歌、黄建新等人则以更富创新意义的电影语言开启了电影新局面；九十年代以后，一批更年轻的被称为"新生代"的电影人则将自我的当代体验与世界性的电影潮流相融合，试图为中国电影注入一种更现代的气息。

正是几代人的共同创造，使我们看到了像《开国大典》《大决战》这样"再现"中国革命"创世纪"历程的"重大题材"影片，像《黑炮事件》《芙蓉镇》这样表现中国人在灾难性历史境遇中挣扎和坚守的"伤痕""反思"影片；银幕上出现了像《秋瑾》《焦裕禄》这样的英雄故事和好人传奇，也出现了《老井》《人生》这样表述当代人在社会转型状态下的生存体验的影片；不仅有《鸦片战争》这样"述说历史"的影片，而且也有《邻居》《人到中年》等表现现代普通百姓喜怒哀乐的影片；不仅有《霸王别姬》《大红灯笼高高挂》《红樱桃》这样的国际化大制作商业影片，也有《喜盈门》《咱们的牛百岁》这样完全本土化、民间化的通俗电影，不仅有许多常规的电影情节剧，也有《城南旧事》这样感伤而抒情的散文诗电影，《黄土地》这样富于造型象征性的探索电影，《孩子王》这样具有丰厚哲理感和文化感的思想电影，《爱情麻辣烫》这样的组合形态电影，《有话好好说》这样的音乐化的都市电影，还有《民警故事》这样的写实形态的电影……完全可以说，这一时期中国电影的风格、类型、样式比以往任何时期都更加丰富多彩：主流与边缘、常规与实验、传统与现代、戏剧化与非戏剧化、本土化与国际化、政治意识形态写作与大众娱乐性写作……这样的丰富多彩为中国电影探索、寻找、创造了更多的可能性、更开阔的参照性，正是如此多元的格局才使这一时期的中国电影仪态万千、生机勃勃，也使得中国电影能够"自立"于世界电影之林。

从1950年到1980年，30年间中国电影（故事片）获得的国际奖项仅为31项，而从1981年开始——特别是从1985年《黄土地》获得第38届洛迦诺国际电影银豹奖、1988年张艺谋的《红高粱》获得西柏林电影节大奖开始，不到20年时间，中国电影在国际上获得的电影奖项已经数以百计，而且几乎世界上所有的A级电影节的奖杯上都已经镌刻上了中国电影的名字，甚至主要为英语电影所垄断的美国的奥斯卡奖也多次提名中国电影作为最佳外语片的竞争者。张艺谋、陈凯歌已经作为世界级的电影导演赢得了国际电影界的尊敬。

6 我喜欢京剧的脸谱

一、教学目的

1. 学会协商解决问题；
2. 学习评论某事，表达自己的看法。

二、教学内容

1. 交际功能：(1) 与人协商

(2) 简单评论某事，表达自己的看法

2. 语言要点：关联词语"虽然……但是……"
3. 语音教学：(1) 听力理解（录音文本见"参考资料"）

(2) 朗读练习（录音文本见"参考资料"）

三、课堂练习与活动

(1) 关于"会话练习"

本课会话练习是根据图画对已有的对话进行排序，排完序后，可以让学生两人一组进行对话练习或者表演。

(2) 关于"匹配"练习

本课的匹配练习中包含了关联词语"虽然……但是……""一……就……"的练习。

(3) 关于"说一说"

"进去""进来""出去""出来"这几个常见的趋向补语有词语化的趋势，不必做过多的语法解释，让学生选对了以后反复朗读。教师还可以向学生提供能使用这些词语的情景，让学生进行表演，在反复练习中掌握这几个词语。

(4) 课堂活动

教师最好提前准备一些京剧、话剧、歌剧的剧照或者音像材料，在学习课文或进行课堂活动之前介绍给大家，以引起学生的兴趣。

四、参考资料

1. 课文注释与语法说明

(1) 你买到票了吗？

在这个句子里，"到"位于动词"买"之后，做结果补语。"到"做结果补语，可以用来表示动作的目的得到实现。"买到"就是"买"的目的得到实现。再看几个句子：

> 他找到工作了。
>
> 我在书店看到很多新书。

否定形式是在动词前加"没"或"没有"，如：

> 我没（有）买到火车票。

请注意与第一课的结果补语"到"的区别。

(2) 虽然售票处没有票了，但是一定会有人来退票。

"虽然……但是……"是一对表示转折关系的关联词语。例如：

> 虽然他的年纪很大了，但是身体仍然很好。
>
> 虽然他学习很努力，但是成绩总是不太好。

建议语法练习：

用动词加适当的结果补语填空：

① 他的钥匙丢了，到现在还没————。

② 他的家去年从香港————这里。

③ A：请问，去 YOUK 中学怎么走？

　　B：一直向前走，————第二个路口向左拐。

④ 我在报纸上————了一个电影广告。

2. 语音教学

(1) 听力理解文本：

A

马明和美云一起去看京剧。他们去晚了，没有买到票。他们等了半个小时才买到退票。现在喜欢京剧的年轻人越来越多了。有的年轻人虽然看不懂京剧，但是他们喜欢看各种各样的脸谱和武打，他们还喜欢听京剧音乐。

判断对错：① 杰克和美云一起去看京剧。（错）

　　　　　② 现在喜欢京剧的年轻人不多，因为他们看不懂。（错）

　　　　　③ 他们去晚了，没有买到票，所以他们没有看京剧。（错）

④ 年轻人喜欢看京剧的脸谱、武打，还有音乐。（对）

B

美华来到商店，她告诉售货员，她要买12个笔记本、5块橡皮、8支铅笔。售货员告诉她，这些东西一共9块钱。美华说："如果我给你20块钱，你应该找给我多少钱？"售货员告诉她："11块钱。"美华把这些都写在一张纸上，然后把东西还给售货员说："谢谢你，我什么也不买，我在完成老师给我的作业。"

回答问题：① 美华在什么地方？

② 美华要买的东西是什么？

③ 美华要买的东西一共多少钱？

④ 美华要给售货员多少钱？

⑤ 美华最后买了什么？为什么？

(2) 关于朗读练习：

　　白石塔，白石搭。

　　白石搭白塔，白塔白石搭。

　　搭好白石塔，石塔白又大。

教师可以先讲解给学生听，让他们理解内容，然后再根据他们的兴趣和要求帮助他们练习朗读。

3. 学成语：画龙点睛

这个成语故事出自唐代张彦远的《历代名画记》，用来比喻写作诗文或发表言论时，在关键的地方加上一两个点明要旨的字、句，使内容更加精彩。故事的阅读文本见学生用书第8课。

4. 汉字部件

居——"据"的声符。以"居"为声符的字还有"锯""剧""踞""裾""倨"等，这些字的声调并不完全相同："锯"（jù）、"剧"（jù）、"踞"（jù）、"裾"（jū）、"倨"（jù）。作为部件在书写时应该比单独的字瘦窄一些。

董——"懂"的声符。作为部件在书写时应该比单独的字瘦窄一些。

兑——"说"的组字部件。在古代汉语中，"兑"与"说"的读音相近，所以按照传统的"六书"理论，"兑"是"说"的声符。但从现代汉语的角度看，"兑"与"说"的读音相去甚远。以"兑"为部件的字还有"阅""悦"等，这几个字的读音是：兑（duì）、说（shuō、yuè）、阅（yuè）、悦（yuè）。作为部件在书写时应该比单独的字瘦窄一些。

戉——"越"的声符。以"戉"为声符的字还有"钺"。作为部件在书写时应该比单独的字瘦窄一些。

5. 文化

脸　谱

脸谱是指中国传统戏剧里男演员脸部的彩色化妆，这种脸部化妆主要用于"净"（花脸）和"丑"（小花脸）两个行当。它在形式、色彩、类型上都有一定的格式，内行的观众从脸谱上就可以分辨出这个角色是英雄还是坏人，聪明还是愚蠢，受人爱戴还是使人厌恶。因此，说脸谱是"灵魂的镜子"是再恰当不过了。

脸谱不是某个人凭空杜撰出来的，它是几代艺术家在观察生活、积累人生经验和总结剧中人物性格的基础上创造出来的。据历史记载，脸谱是由两个早期舞台剧的脸部化妆演变来的，一是唐朝（618—917）的"代面"（"净"类角色），一是唐宋时期流行的一种讽刺剧中的"涂面"（"次净"类角色）。

有学者认为，脸谱的雏形是原始图腾。春秋战国时期在祭祀仪式上，人们戴着画有图腾的面具跳舞。随着时间的推进，它逐渐演变成汉唐的"代面"（一种较精致的面具）、宋元的"涂面"和明清的"脸谱"。

但是在戏剧舞台上，脸谱并没有完全替代面具。最明显的例子是在贵州、江西、安徽和西藏的地方戏中，所有的演员都带着面具。一出戏里要用几十个乃至上百个面具。在南方的昆曲中，扮演神仙和鬼怪的演员都带面具，而不是画脸谱。就是在中国最主要的剧种——京剧中，也保留了面具，像财神、土地、雷神等神仙都带面具。通过面具和脸谱的使用以及面部造型由简到繁的发展，人们不难看出中国戏剧逐步完善的过程。

虽然京剧只有短短的两百年的历史，但它比中国其他古老的剧种发展得更快，更有坚实的群众基础。它那迷人的脸谱在中国戏剧无数脸部化妆中占有特殊的地位，人们盛赞脸谱是"活生生的艺术"。

京剧脸谱以"象征性"和"夸张性"著称。它通过运用夸张和变形的图形来展示角色的性格特征。眼睛、额头和脸颊通常被画成蝙蝠、蝴蝶或燕子的翅膀状，再加上夸张的嘴和鼻子，制造出所需的脸部效果。一个乐观的人被赋予清澈的眼睛和光滑的额头。如果想塑造一个悲痛的或冷酷的人物形象，那么他就会有半闭的眼睛和皱巴巴的额头。

7 昨晚我只睡了4个小时

一、教学目的

1. 学会询问并说明原因；
2. 学习简单叙述某事。

二、教学内容

1. 交际功能：(1) 询问并说明原因

                (2) 简单叙述某事
2. 语言要点：时量补语
3. 语音教学：(1) 听力理解（录音文本见"参考资料"）

                (2) 朗读练习（录音文本见"参考资料"）

三、课堂练习与活动

(1) 关于"会话练习"

本课的练习内容是提供帮助并回答，需要学生模仿例子，根据提供的词语自己编一段对话。让学生两人一组进行练习。刚开始时，模仿例子，不要求有更多的自我发挥。熟练后，让学生根据自己的水平和能力以及以前学过的词语进行发挥，在全班表演。

(2) 关于"排序"

本课排序练习中包含了时量补语的内容。

(3) 关于"说一说"

除了课本中的练习，教师还可以根据本班实际情况，让学生说一些句子。

(4) 课堂活动："音乐角"

本活动需要教师做一些准备。如果本班没有学过乐器的同学，本校也没有乐队，也可以欣赏音乐《梁祝》。

四、参考资料

1. 课文注释与语法说明

(1) 课文注释

① 他演得好极了。

"形容词＋极了"可以用来表示程度很高。例如：

> 风景美极了。

> 这里的人多极了。

② 他的演奏一结束，大家就鼓起掌来。

"动词＋起来"可以用来表示动作开始并继续。例如：

> 她激动得哭起来。

> 她高兴得跳起来。

若动词带宾语，宾语一般要放在"起"与"来"的中间。例如：

> 他高兴得唱起歌来。

(2) 语法说明：关于时量补语

① "数量词＋时间词"在动词后做补语，表示动作进行或状态持续的时间长度，我们把它叫作"时量补语"。如"看一个小时""学习一年""锻炼十分钟"等等。带时量补语的动词后可以带动态助词"了""过"，但不能带"着"。例如：

> 他打算在中国学习五年。

> 我每天锻炼一个小时。

> 昨晚他只睡了三个小时。

> 他在中国学习过五年。

如果动词带名词性宾语，时量补语要放在动词与宾语之间。这时时量补语与宾语之间可以加"的"，也可以不加"的"。例如：

> 他学了两年（的）中文。

> 我每天踢一个小时（的）足球。

如果宾语是代词，时量补语要放在代词的后面。例如：

> 我等了他两个小时。

也可以重复动词，如：

> 我等他等了两个小时。

> 我看电视看了两个小时。

> 他等车等了半个小时。

② 需要注意的几个问题：

〈1〉学生由于受到英语的影响，常常把时量补语放在句子的末尾，因此在有宾语而同时有时量补语的动词谓语句中，会出现这样的错误：

他们谈话了半个小时。（正确的句子是：他们谈话谈了半个小时。）

他等车了半个小时。（正确的句子是：他等车等了半个小时。）

〈2〉在重复动词的句子中，动词的附加成分，如助动词、动态助词，要放在重复动词的前后。例如：

他每天坐车要坐两个小时。

他打电话打了二十分钟。

〈3〉在"来""到""离开""开始""结束""毕业"等动词后的时量补语，表示的是动作的发生到说话时的时间长度，而不是动作持续的时间长度。如：

他已经来了三年了。

电影已经开始半个小时了。

若"来""到""离开"后有处所宾语，时量补语只能放在宾语的后面，而且不能重复动词。如：

我来北京三年了。

他离开上海两年了。

由于受到时量补语其他规则的影响，学生容易出现这样的错句：

我来三年北京了。

或：我来北京来了三年了。

建议语法练习：

(1) 根据下列句子的内容回答括号里的问题：

① 我每天下午四点开始锻炼，五点结束。（你每天锻炼多长时间？）

② 我昨天八点开始看电视，看到十点。（你昨天看了几个小时电视？）

③ 我去年开始学汉语。（你学了几年汉语了？）

④ 我每天晚上十点睡觉，早上六点起床。（你每天晚上睡几个小时？）

⑤ 暑假我去旅行了。我十号出发，二十号回到家里。（暑假你旅行了几天？）

(2) 给括号里的词语选择一个适当的位置：

① 杰克昨天 A 踢 B 球 C 踢了 D。（一个小时）

② 我 A 来到 B 这里 C 了 D。（一年）

③ 马明昨天晚上 A 玩 B 了 C 电脑 D。（三个小时）

④ 电影A已经B开始C了D。（十分钟）

⑤ 这本书A我B要C看D。（一个星期）

2. 语音教学

(1) 听力理解文本：

A

上个周末我们听了音乐会，我最喜欢杰克演奏的小提琴曲《梁祝》。他拉得好极了。他的演奏一结束，大家就鼓起掌来。演奏中国乐曲以前，他还演奏了非洲乐曲呢。杰克4岁就开始学习钢琴，他已经学了十二年音乐了。不过，这是他第一次演奏中国乐曲。

判断对错：① 学习中国乐曲以前，他还学习了非洲乐曲呢。（错）

② 杰克4岁就开始学习小提琴。（错）

③ 他已经学了12年音乐了。（对）

④ 在音乐会上，杰克演奏的小提琴曲最好。（错）

⑤ 这是杰克第一次在音乐会上演奏乐曲。（错）

⑥ 他的演奏一结束，大家就鼓起掌来。（对）

B

魔术师设计了一个新的魔术，这个魔术在表演的时候需要一个孩子帮助他。魔术师对他的儿子说："今天晚上你和观众坐在一起，当我邀请一个孩子来帮助我的时候，你马上上来，别告诉观众你是我的儿子。"晚上，魔术表演开始了，魔术师对观众说："现在，我请这个孩子帮助我，我不认识他。"他又对孩子说："我们不认识，对吗？"孩子说："你说得对，爸爸。"

回答问题：① 魔术师的新魔术需要谁的帮助？

② 魔术师为什么让儿子和观众坐在一起？

③ 魔术师为什么对观众说他不认识这个孩子？

④ 孩子有没有告诉观众他是谁？

(2) 关于朗读练习：

朋友，别感叹逝去的年华，

快套住这四蹄生风的快马！

追悔过去，不如现在出发！

在时间的草原上，跃马向前。

这是一段现代诗。教师可以先讲解给学生听，让他们理解内容，然后再根据他们的兴趣和要求帮助他们练习朗读。

3. 学成语：余音绕梁，三日不绝

这个成语典故出自《列子·汤问》。说有一个叫韩娥的人，十分善于歌唱。她在一个地方唱了歌，几日后余音仍在房梁间萦绕不断。后来用来比喻歌声或乐曲声优美动听，韵味深长。

4. 小提琴协奏曲《梁祝》（在 CD 中）

5. 汉字部件

垂——"睡"的组字部件。在古代汉语中，"垂"与"睡"两字的读音相近，所以按照传统的"六书"理论，"垂"是"睡"的声符。但从现代汉语的角度讲，"垂"与"睡"的读音相差较大，"垂"只能是"睡"字的部件。以"垂"为部件的字还有"锤""捶""棰""陲"等，这几个字的读音与"垂"相同，均读为 chuí。作为部件在书写时应该比单独的字瘦窄一些。

与——"写"字的组字部件。"写"的繁体字写作"寫"，"舄"是它的声符，简化为"写"后，"与"就是组字部件了。

寅——"演"字的组字部件。在古代汉语中，"寅"与"演"两字的读音相近，所以按照传统的"六书"理论，"寅"是"演"的声符。但从现代汉语的角度讲，两字的读音相差较大，"寅"只能是"演"字的部件。以"寅"为部件的字还有"夤"(yín)，"寅"与"夤"读音相同，作为部件在书写时应该比单独的字瘦窄一些。

今——"琴"字的组字部件。在古代汉语中，"今"与"琴"两字的读音相近，所以按照传统的"六书"理论，"今"是"琴"的声符。但从现代汉语的角度讲，"今"与"琴"的读音相差较大，"今"只能是"琴"字的部件。以"今"为部件的字还有"矜""衿""妗"等，这几个字的读音与"今"相近，声调稍有不同："矜"(jīn)、"衿"(jīn)、"妗"(jìn)。作为部件在书写时应该比单独的字瘦窄一些。

壴——"鼓"的组字部件。"鼓"本是会意字，"壴"表示的正是"鼓"的形状。但在现代汉字中，它已经失去了象形的作用，只是部件了。

6. 文化

梁山伯与祝英台——梁祝

"梁山伯与祝英台"是一则在中国流传极广、家喻户晓的爱情故事。古时候有一个美丽的姑娘叫祝英台，她女扮男装去远方求学，在路上邂逅了善良、憨厚的书生梁山伯，英台对山伯一见钟情，但却不能表达自己的爱情。她与山伯结拜为异姓兄弟，住在一起读书学习。直到学业结束，经英台多方暗示，山伯才知道英台是一位姑娘。梁山伯去英台家求婚，英台的父亲嫌贫爱富，拒绝了他，并把英台许配给了一个富家子弟。英台百般抗争，但无济于事。梁山伯相思成疾，在英台的婚礼之前死去。祝英台结婚时花轿路过梁山伯的坟墓，坟墓忽然崩裂，祝英台跳了进去，殉情而死。之后，人们看到从坟墓中飞出一对蝴蝶，翩翩而去。

据考证，梁祝故事在公元400年前后（东晋时期）就已经开始流传，起先在江浙一带，后来流布全国。宋朝时开始有文字记载，元代戏曲家把它改编为戏曲开始上演，到明清两代及近现代，各种以"梁祝"为题材的文艺作品大量涌现，蔚然大观，简直成为一种"梁祝文化"。梁祝故事也早已流传国外，被称为"东方的罗密欧与朱丽叶"。特别是小提琴协奏曲"梁祝"，充分吸收了京剧、越剧音乐的表现手法，融合了西方协奏曲的奏鸣曲式，是一部优美迷人的音乐作品。在人类向太空发送声波信息以寻求外星生命的尝试中，"梁祝"是被选中的乐曲之一。

8 我的网友

一、教学目的

1. 复习本单元所学内容；

2. 学习如何用汉语写便条；

3. 学习讲故事。

二、教学内容

1. 交际功能：(1) 用汉语写便条

                (2) 成段叙述

2. 语言要点：复习本单元所学语法点

3. 语音教学：(1) 朗读练习（录音文本见"参考资料"）

                (2) 学唱汉语歌

三、课堂练习与活动

(1) 关于"匹配"

本课匹配练习中包含了关联词语"虽然……但是……""……因为"的练习。

(2) 关于"演一演"

本练习的内容是向他人表示歉意并应答,四幅插图是四段分别的对话,可以让学生2人一组分别练习,鼓励他们除了模仿提供的对话外,自己再增加一些内容。练习之后在全班表演。

(3) 关于词语分类,词语复习

(4) 课堂活动："黑板上的词语听写比赛"

这一活动的内容是词语复习。教师可以先总结本单元的新词语,如做一些词语卡片让学生朗读,或者读一读本单元的课文,做一些预热之后再进行此活动。

(5) 单元语言实践活动："网上中国之行"

教师最好提前向学生提供搜集相关信息的渠道,例如告诉学生们有关的网址、报纸的名字、电视频道等等，便于同学搜集信息。

四、参考资料

1. 语音教学

——关于"朗读练习和唱歌"：青春舞曲

太阳下山明早依旧爬上来，

花儿谢了明年还是一样的开。

美丽小鸟飞去无踪影，

我的青春小鸟一样不回来。

这是一首歌的歌词，歌的名字叫《青春舞曲》。教师可以先让学生朗读，然后再听音乐学唱。

2. 补充阅读材料：名落孙山、画龙点睛（见学生用书第8课）

3. 汉字部件

泉——"原"字的组字部件。古文"原"字写作"原"，"厂"下本是"泉"字，写作"泉"，只能是部件了。

双——"网"字的组字部件。"网"的繁体字写作"網"，简化为"网"之后，由"冂"和"双"两部分组成。

亦——"迹"字的组字部件。在古代汉语中，"亦"与"迹"读音相近，"亦"是"迹"的声符，但从现代汉语的角度讲，"亦"与"迹"的读音不同。作为部件在书写时与单独的字稍有不同。

斿——"游"字的声符。以"斿"为声符的字还有"蝣"。作为部件在书写时应该比单独的字瘦窄一些。

4. 文化

中国的网民

2002年7月，中国互联网络信息中心公布了中国第十次互联网发展统计报告，截止到2002年6月底，平均每周至少上网一小时的中国公民人数已经超过4500万，仅次于美国和日本，排在世界第三位。

统计报告显示，仅2002年的上半年就新增网民1200万，其中增长最多的是35岁以下的网民。分析人士认为，中国网民人数短时间里快速增长，主要原因是中国加大了对互联网基础设施建设的力度，以及中国电信公司重组形成了更好的竞争格局，使上网费用大幅度降低。统计报告还显示，从2001年下半年起，中国网站数量开始持续增长，目前网站总数近30万个，是历次调查中最多的。

目前，中国各界都已认识到，互联网能给人们的工作、学习、生活带来很大的便利和好处，必须熟练地掌握快速有效地从互联网上获得各种信息的技能。当然，互联网上也有一些消极和不健康的东西，尤其是不少孩子终日沉溺于网络游戏，而许多游戏充满了暴力和色情内容，这对孩子的成长是很不好的。

5. 备用阅读材料

(1) 中国人什么时候开始表演皮影戏

中国古代有个皇帝叫汉武帝 (Hànwǔdì, an emperor in the Han dynasty)，他的妻子 (qīzi, wife) 死了，他很想念 (xiǎngniàn, yearn) 她，每天不想吃饭也不想喝水。有一天，他要手下的人 (shǒuxià de rén, vassal) 必须找到他妻子的灵魂 (línghún, soul)，如果找不到就要杀死他们，手下的人都很害怕 (hàipà, be afraid)，但是他们没有办法找到他妻子的灵魂。后来有一个人想到一个办法，他把汉武帝妻子的像 (xiàng, picture) 画在羊皮 (yángpí, sheepskin) 上，剪 (jiǎn, cut) 成人的样子，用灯光照着 (yòng dēngguāng zhàozhe, light with lamplight)。人的样子在灯光下好像真人 (zhēnrén, actual person) 的影子 (yǐngzi, silhouette) 一样，汉武帝相信 (xiāngxìn, believe) 了。有人说，这就是最早的皮影戏 (píyǐngxì, shadow play)。(改写自《中国少年儿童百科全书》，浙江教育出版社，1991)

(2) 为什么会有"兵马俑"

你听说过"兵马俑 (bīngmǎyǒng, terracotta warriors and horses)"吗？在中国陕西省 (Shǎnxī Shěng, Shaanxi Province) 的西安市 (Xī'ān Shì, the city of Xi'an) 附近有一个"秦始皇兵马俑 (Qínshǐhuáng bīngmǎyǒng, terracotta warriors and horses in the tomb of Emperor Qinshihuang) 博物馆"，在这个博物馆里有6000多个兵马俑。它们都是陶 (táo, argil) 做的，但是他们好像真的人和马一样。里面的兵俑有的站着，有的蹲 (dūn, squat) 着，有的拉着 (lāzhe, pull) 马，有的拿着枪 (qiāng, spear)。为什么会有那么多的兵马俑呢？这跟 (gēn, with) 中国的古代历史有关系 (yǒu guānxì, concerned)。中国古代的人认为，人死了以后要去另外 (lìngwài, another) 一个世界，有钱、有地位 (dìwèi, status) 的人为了到另一个世界也过同样的生活，在他们死了以后，就把属于 (shǔyú, belong to) 他们的东西和人一起埋 (mái, burying) 在地下，这叫做"殉葬"(xùnzàng, be buried alive with the dead)。后来，人们觉得这样太残忍 (cánrěn, barbaric)，就改变 (gǎibiàn, alter) 方法，

用陶俑代替活人 (yòng táoyǒng dàitì huórén, to replace human being by warriors)。兵马俑的发现说明 (shuōmíng, indicate)，秦始皇也想把自己的军队 (jūnduì, army) 带到另一个世界去。(改写自《中国少年儿童百科全书》浙江教育出版社，1991；《中国历史文化名城词典》上海辞书出版社，1985)

(3) 张良拜师

中国古代有个将军 (jiāngjūn, general) 叫张良 (Zhāng Liáng, a person's name)，他年轻的时候出门 (chūmén, go out) 学习。有一天，他走到一座桥 (yí zuò qiáo, a bridge) 上，看见一个老人坐在那里。当他走过老人身边的时候，老人的鞋掉到桥下 (qiáo xià, under the bridge) 去了。老人对他说："小伙子，到桥下去，把我的鞋拿上来。"张良马上跑到桥下，帮助老人把鞋拿来。可是老人又说："帮我把鞋穿好 (bǎ xié chuānhǎo, to put one's shoes on)。"老人说话的样子不太客气，但是张良没有生气，他又帮老人把鞋穿好。老人很高兴，对张良说："如果你想学什么，五天以后的早晨你到这儿来，我教你。"五天以后张良很早就来到桥上，可是老人已经在那里等他了，老人说："你来得太晚了，再过五天再来。"又过了五天，老人还是说他来得太晚。又过了五天，这天半夜 (bànyè, midnight) 张良就来到桥上，终于 (zhōngyú, eventually) 感动 (gǎndòng, move) 了老人，收他作了学生 (shōu tā zuò le xuésheng, to accept him as his student)。(《名人轶事600篇》，中国青年出版社，1982)

(4) "竹竿 (zhúgān, bamboo pole)" 的故事

从前有一个知县 (zhīxiàn, a mayor of a county in ancient time) 刚到一个地方上任 (shàngrèn, take a post)，他想挂一个蚊帐 (wénzhàng, mosquito net)，就对一个差役 (chāiyì, vassal) 说："你去买两根竹竿来。"

这个知县说话有口音 (kǒuyin, accent)，差役把"竹竿"听成了"猪肝 (zhūgān, pig's liver)"。于是差役跑到卖肉的地方去，对卖肉的人说："新来的知县大人想买两斤猪肝，你是个聪明人，知道应该怎么办。"

卖肉的人马上明白了差役的意思，就给了他两斤最好的猪肝，又送给差役两个猪耳朵。

差役心里很高兴，他想，知县只让他买猪肝，这两个猪耳朵当然就是他自己的了。于是他把猪肝包 (bāo, wrap) 好，放进口袋 (kǒudai, pocket) 里。

回来以后，知县一看到他买的猪肝，非常生气，说："我让你买竹竿，你听清楚了没有？你的耳朵到哪里去了？"

差役一听，非常害怕，赶忙说："老爷，耳朵在……在我口袋里！"

看来发音 (fāyīn, pronunciation) 准确很重要。

第二单元评估与测验

一、看词语，写拼音。

第5课　（　）瀑布　（　）羡慕　（　）消息　（　）差点儿

第6课　（　）放心　（　）年轻人　（　）各种各样　（　）脸谱　（　）武打　（　）听说

第7课　（　）困　（　）拉　（　）小提琴　（　）明星　（　）演奏　（　）钢琴　（　）鼓掌

第8课　（　）误会　（　）原谅　（　）故事　（　）熊猫　（　）网上旅游

二、读拼音，写词语。

第5课　dài（　）　qiántiān（　）　yǐjing（　）　xǔduō（　）　cānguān（　）

第6课　gèng（　）　dǒng（　）　jīngjù（　）　búguò（　）　yìqǐ（　）

第7课　xiǎoshí（　）　xiě zuòwén（　）　zhōumò（　）

第8课　lèi（　）　xiàcì（　）　wǎngyǒu（　）　míngshèng gǔjì（　）

三、把下面的句子翻译成英语。

第5课

(1) 好久没听到你的消息了。

(2) 他上个星期刚回来。

(3) 我拍了很多照片。

(4) 我差点儿不认识他了。

(5) 我们已经一年没有见面了。

(6) 他说汉语说得非常好。

(7) 我很羡慕他。

第6课

(1) 虽然售票处没有票了，但是一定会有人来退票。

(2) 我们进去等你。

(3) 你放心进去吧！

(4) 看京剧的年轻人不多，中学生更少。

(5) 虽然我看不懂京剧，但是我喜欢看各种各样的脸谱和武打。

第7课

(1) 昨天晚上我只睡了4个小时。

(2) 他演奏了中国的小提琴曲《梁祝》。

(3) 他的演奏一结束，大家就鼓起掌来。

(4) 他六岁就开始学习小提琴。

(5) 他拉得好极了。

(6) 他已经学了十年钢琴了。

第8课

(1) 请原谅！

(2) 我玩得非常累。

(3) 虽然我们是第一次认识，但是好像已经认识很久了。

(4) 当我们刚刚走进颐和园的时候，我以为它和故宫差不多。

(5) 下次网友要带我去看大熊猫。

四、回答问题。

第5课

(1) 你妈妈到哪儿去了？

(2) 她带来了什么？

(3) 你吃饭了吗？ （已经）

(4) 你们家大不大？ （……，不过……）

(5) 他会拍照片吗？ （得）

第 6 课

(1) 这个城市的人口多不多？（越来越……）

(2) 你喜欢看京剧吗？（虽然……但是……）

(3) 你喜欢看电影吗？（更）

第 7 课

(1) 昨天你睡了几个小时？

(2) 昨天晚上你几点开始学习？

(3) 昨天下午 5 点以前你在做什么？

(4) 上个周末你做什么了？

(5) 下个周末你想做什么？

(6) 你听他弹过琴吗？（第一次）

(7) 她小提琴拉得怎么样？（……极了）

第 8 课

(1) 弹钢琴有意思吗？（以为）

(2) 明天你们去游泳吗？（却）

(3) 学汉语难还是学法语难？（差不多）

五、造句。

第 5 课

用下面的词语造句。

已经 ……，不过……

第 6 课

用下面的词语造句。

更　　虽然……但是……

第 8 课

用下面的词语造句。

……的时候　　必须

六、写短文。

第 7 课

(1) 用下面的词语介绍你的一天。

写作文　看电视　上课　　小时　　睡觉

(2) 用下面的词语介绍一位你的朋友。

钢琴 / 小提琴　弹 / 拉　年　开始　……极了

第三单元 两代人

单元介绍

这个单元的四课，课文形式与第一、二单元相同，即在前三课里分别安排了一段对话体和一段叙述体课文。话题主要涉及家庭里两代人之间的矛盾冲突，以及传统中有关重男轻女问题的讨论。对话体课文在语言功能上涉及说明事情的原因、反驳他人意见、请求等等。叙述体课文与第一、二单元相近，仍采用成段口述的形式，都帮助学生了解并学会表达自己的抱怨、担心等，同时也开始引导学生学习讲故事。在语言结构上主要介绍副词"就"和"才"、介词"对"、语气助词"了"的用法，以及其他一些句式如"越来越……"的用法等。人物涉及马明、李美云、杰克及其父母。

复习课的课文较长，以便逐渐与第四册衔接。

9 我很烦

一、教学目的

1. 学习询问原因或理由；

2. 学习说明理由；

3. 学习用抱怨的口吻叙述。

二、教学内容

1. 交际功能：(1) 询问原因或理由

               (2) 说明理由

               (3) 抱怨

2. 语言要点：(1) 副词"就"和"才"

               (2) "越来越……"句式

3. 语音教学：(1) 听力理解（录音文本见"参考资料"）

               (2) 朗读练习（录音文本见"参考资料"）

三、课堂练习与活动

(1) 关于"匹配"

匹配练习的主要内容是副词"就"的练习。

(2) 关于"说一说"

练习把叙述一日活动与副词"就""才"的练习结合起来。做完课本上的练习之后，教师可以让学生用"就"和"才"说说自己的一日活动。

(3) 关于会话练习

让学生排完序后，可以两个人一组进行会话练习。

(4) 课堂活动

调查活动前要先让同学们练习相关的询问，如"你几点回家？""你妈妈觉得晚不晚？"

四、参考资料

1. 课文注释与语法说明

(1) 今天你是不是很晚才回来？

这是一个用"是不是"提问的正反问句。这种提问方式常常是提问的人对事实或情况已经有了比较肯定的估计，以此求得进一步的证实。再看几个句子：

你是不是十八岁？

你是不是已经毕业了？

你是不是不打算选汉语课？

(2) 我们4点半才离开学校。

这个句子里的"才"是副词，用在动词前，表示说话人主观上认为动作发生的时间比人们公认的合适的时间要晚。再看几个句子：

我八岁才上学。(说话人认为应该六岁以前上学，八岁上学比应当上学的年龄晚了。)

她三十岁才结婚。(说话人认为三十岁结婚比应当结婚的年龄晚了。)

杰克今天早上八点半才到学校。(学校一般八点钟开始上课。)

那个商店每天十点才开门。(一般应该九点以前开门。)

(3) 你最近回家越来越晚了。

"越来越+形容词"这一结构通常用来表示程度随着时间的推移而逐渐加深。这一结构可以在句中做谓语，也可以做定语或补语。再看几个句子：

他的汉语水平越来越高。

他的汉语说得越来越好。

越来越多的年轻人希望到城市里找工作。

天气越来越热。

(4) 我九点就起床了。

这个句子里的"就"是副词，用在动词前，表示说话人认为动作、行为发生的时间比人们公认的合适的时间提早了或比一般的情况早。再看几个句子：

老张二十岁就结婚了。(说话人认为二十岁结婚很早。)

我昨晚十点钟就睡觉了。(说话人认为十点钟睡觉很早。)

马明今天三点钟就回家了。(平时比三点钟晚。)

建议：教师可通过比较，使学生明确"就"与"才"的区别。

建议语法练习：

用"就"或"才"填空：

①他今天起床很早，九点钟＿＿＿＿起床了。

②马明的妈妈说，马明今天四点钟＿＿＿＿回家，他太贪玩了。

③他的工资很少，每个月＿＿＿＿三百块钱。

④那个孩子＿＿＿＿六岁，但知道的事情很多。

⑤五点钟的火车，他两点钟＿＿＿＿出发了。

2. 语音教学

(1) 听力理解文本：

A

马明很烦，他觉得他和妈妈越来越不能互相理解了。每天下午放学以后，马明总是5点多就回家，别的同学都7点了才回家。可是他妈妈总是说他回家太晚。每个星期天，他早晨9点起床，他觉得自己起得很早，因为他的很多朋友11点才起床。可是妈妈还是批评他，认为他起得太晚了。马明喜欢一边写作业，一边听音乐，他觉得这样做作业不累。可是他妈妈一看见就批评他，还拿走他的耳机。

判断对错：① 马明每天放学以后7点回家。（错）

② 马明的妈妈觉得他每天回家太晚了。（对）

③ 马明星期天早晨9点起床，妈妈觉得他起得很早。（错）

④ 马明觉得他和妈妈越来越不能互相理解了。（对）

⑤ 马明觉得一边做作业一边听音乐不累。（对）

⑥ 他妈妈一看见他听音乐就拿走他的耳机。（错）

B

有一个人，他常常到很远的地方去工作，没有时间照顾他的妈妈。他的妈妈快要过生日了，他想买一件礼物送给妈妈。他来到市场，看见一只会唱歌的鸟。这只鸟唱得非常好听，所以他决定买这只鸟送给妈妈。这只鸟很贵，他花了很多钱才买到。他请朋友把这只鸟带给他妈妈。一个星期以后他给妈妈打电话，问："妈妈，那只鸟怎么样？"妈妈说："它的味道好极了，谢谢你！"

回答问题：① 这个人为什么不能常常回家照顾妈妈？

② 他为什么要买礼物送给妈妈？

③ 他为什么买鸟送给妈妈？

④ 为什么他花很多钱才买到鸟？

⑤ 他的妈妈觉得这只鸟怎么样？

⑥ 想一想，这个人听了妈妈说的话会怎么样？

(2) 关于朗读练习：

月落乌啼霜满天，江枫渔火对愁眠。

姑苏城外寒山寺，夜半钟声到客船。

这是唐代诗人张继的一首诗，题为《枫桥夜泊》。诗里写的是：秋天的夜晚，月亮快要落下去了，乌鸦在树上鸣叫，地上落满了霜。诗人乘坐的客船停在江边。夜深了，诗人睡不着觉，和诗人做伴的，只有江边的枫树和江上渔船的灯火，而此时又传来姑苏城外寒山寺的钟声，让人感到更加寂寞。

教师可以先讲解给学生听，让他们理解内容，然后再根据学生的兴趣和要求帮助他们练习朗读。

3. 学成语：半途而废

这个成语意思是半路停下来不再前进，比喻事情没有完成就停止了。出自《礼记·中庸》："君子遵道而行，半涂而废，吾弗能已。"

4. 汉字部件

里——"理"的声符。以"里"为声符的字还有"哩""厘""鲤""狸"等，但它们的声调不尽相同："哩"(li)、"厘"(lí)、"鲤"(lǐ)、"狸"(lí)。作为部件在书写时应该比单独的字瘦窄一些。

角——"解"字的组字部件。"解"的本义是"以刀剖牛角"，所以从传统的"六书"理论看，"角"是"解"的意符。但从现代汉字的角度讲，"角"已失去了意符的作用，只能是部件了。

比——"批"的组字部件。从古音讲，"比"与"批"读音相近，"比"是"批"的声符。但从现代汉语的角度讲，两个字的读音有差异，"比"只能是"批"的部件了。在现代汉字中，以"比"为声符的字有"毕""庇""毙""妣""毖"等，但它们的声调不完全相同："毕"(bì)、"庇"(bì)、"毙"(bì)、"妣"(bǐ)、"毖"(bì)。作为部件在书写时应该比单独的字瘦窄一些。

平——"评"字的声符。以"平"为声符的字还有"坪""苹""萍""鲆"等。这几个字均读为 píng。作为部件在书写时应该比单独的字瘦窄一些。

太——"态"字的声符。"态"的繁体字写作"態"，在古代汉语中，"態"与"能"的读音一致，故以"能"为声符。简化为"态"之后，声符的作用更加明显。以"太"为声符的字还有"钛""汰""肽""酞"等，这几个字均读为 tài。作为部件在书写时应该比单独的字瘦窄一些。

5.文化

心理阳光工程

据中新社北京四月二日报道,中国目前有三千万17岁以下的青少年受到情绪障碍和行为问题困扰,由于不能正确对待、解决,导致许多不该出现的困难和悲剧发生。为此,共青团中央、国家卫生部、教育部和中国青年报社于当日共同启动了促进青少年心理卫生工作的"心理阳光工程"。

旨在动员社会各界力量,共同致力于提高青少年精神卫生意识和精神健康水平的这项工程,由"认知行动""专家行动""救助行动"和"走进校园行动"等部分组成,将开展为偏远地区中小学培训心理辅导教师,对高校大学生进行心理健康宣传,开办中国大学生心理健康网站,编写大学新生心理卫生手册,组织"心理阳光讲师团",为各地中小学心理辅导教师进行巡回讲座等一系列活动。同时,还将完善学校学生心理卫生保健措施,配合国家卫生部建立全国性精神疾患预防网络,在全国主要城市设立青少年心理危机救助热线。

中国疾病预防控制中心精神卫生中心提供的调查数据显示:全国中小学生心理障碍突出表现为人际关系、情绪稳定性和学习适应方面的问题。大学生中的心理障碍,以焦虑不安、恐惧、神经衰弱、强迫症和抑郁情绪为主。

在国家卫生部举办的启动仪式上,组织委员会公布了2004年世界精神卫生日中国精神卫生工作的主题:"儿童、青少年精神健康:快乐心情,健康行为。"

10　男孩儿和女孩儿

一、教学目的

1. 学会反驳他人意见；

2. 学习讲故事。

二、教学内容

1. 交际功能：(1) 反驳他人意见

                 (2) 成段叙述

2. 语言要点：(1) 数词"半"

                 (2) 副词"才"

3. 语音教学：(1) 听力理解（录音文本见"参考资料"）

                 (2) 朗读练习（录音文本见"参考资料"）

三、课堂练习与活动

(1) 关于"排序"

本课排序练习的内容是关于副词"才"的练习。

(2) 关于"演一演"

本课"演一演"的内容是一个完整的故事，目的是训练学生用汉语回应别人的观点，发表自己的看法，表达自己的愿望，向别人表示祝贺，以及表达失望、遗憾等情绪。可以组织几组同学分角色表演。

(3) 关于"说一说"

本课给学生提供了关于男孩儿好还是女孩儿好的多种观点。教师可以在帮助学生了解、熟悉这些观点的基础上进一步询问学生对这些观点的看法，以及他们自己的观点。要注意激发学生说的愿望。要注意当地在这一方面的实际情况。

(4) 课堂活动

教师最好事先做些准备，把活动的目的，例如让学生练习汉语，加深对文化变迁的理解等等，以便条的方式带给家长，消除家长在回答调查中的顾虑，为学生的调查做好准备。

四、参考资料

1. 课文注释与语法说明

（1）老大三岁半。

这个句子里的"老"是前缀，用在数字前表示兄弟的排行，如"老二""老五"等等。但排行第一的不能说"老一"，而说"老大"。

这个句子里的"半"是数词，其意思是二分之一，如"半个苹果""半斤猪肉"等等。

（2）老二才两岁半。

这个句子里的"才"是副词，用在表年龄的数量词前，表示说话人认为年龄小，意思是"只有"。

"才"作为副词，还可以放在一般的数量词前，表示说话人认为数量少。例如：

　　她的身高才一米六。

　　这本书才两块钱。

　　他每月的工资才三百块钱。

　　这个房间才十平方米。

如果数量词前有动词，"才"通常要放到动词前。例如：

　　这本书才卖两块钱。

　　他才买了两本书。

（3）男孩儿跟女孩儿不是一样吗？

在汉语里可以用"不是……吗"格式表示强调。这个句子的作用是强调肯定"男孩儿跟女孩儿一样"这一事实。

2. 语音教学

（1）听力理解文本：

A

我儿子今年已经35岁了，他还没有儿子，也就是说我还没有孙子。他的妻子已经生了两个孩子，可是都是女儿，大的三岁半了，小的也两岁了。我希望他们赶快生第三个孩子，因为我想赶快要一个孙子。我儿子的邻居们总是问，为什么不等两个女儿长大了再生第三个孩子。我告诉他们说："不行啊，我等着抱孙子呢。我一定要一个孙子。”

判断对错：① 我的儿子今年53岁。（错）

② 我的儿子有三个女儿。（错）

③ 我很想要一个孙子。（对）

④ 我的大孙女已经三岁半了。（对）

⑤ 我不同意我儿子邻居的意见。（对）

B

张先生每天都教三岁的女儿认识汉字，今天他教的是“天”字。他想让女儿记住“天”字的意思。他问：“你的头上是什么？”女儿说：“我的头发。”张先生又问：“你的头发上面呢？”女儿回答：“头发上面是房顶。”张先生生气了，他说：“笨蛋，房顶上面是什么？”女儿哭了，她一边哭一边说：“一只鸟在飞。”

回答问题：① 张先生每天教谁学汉字？

② 今天他教的是什么字？

③ 他为什么问“你的头上是什么”？

④ 女儿回答得对不对？

⑤ 张先生为什么生气了？

⑥ 女儿为什么哭了？

(2) 关于朗读练习：

山前五棵树，架上五壶醋，林中五只鹿，箱里五条裤。

伐了山前的树，搬下架上的醋，捉住林中的鹿，取出箱中的裤。

教师可以先讲解给学生听，让他们理解内容，然后再根据学生的兴趣和要求帮助他们练习朗读。

3. 学成语：亡羊补牢

这个成语出自《战国策·楚策》：“臣闻鄙语曰：见兔而顾犬，未为晚也；亡羊而补牢，未为迟也。”后来用“亡羊补牢”比喻受到损失以后及时设法补救。阅读文本见学生用书第12课。

4. 汉字部件

厄——“顾”的组字部件。“顾”的繁体字写作“顧”，“雇”为声符。简化为“顾”后，“厄”就只能是组字部件了。

小——“孙”的组字部件。“孙”的繁体字写作“孫”，简化为“孙”，“小”即为组字部件。作为部件在书写时应该比单独的字瘦窄一些。

62

歺——"死"的组字部件。该部件本写作"歹","歺"是它的变体。

5. 文化

起名的风俗

中国古代的姓氏、名、字和号一直沿用到辛亥革命前，近代中国的许多社会名流也还有字、号。如孙文字逸仙，号中山；周树人字豫才，号戎马书生，笔名就是广为人知的鲁迅。但是现在有字和号的人已经不多，大部分都只有姓和名。

父母在给孩子起名的时候，都将对子女的希望融于命名之中，如招弟、盼弟等，表明父母想生个男孩。名字也反映出人们对物质、社会地位或美德的向往，如取名"克勤""克俭"，表示发扬勤俭朴素的精神；还有"永福""长生"等，也有为了弥补生辰八字的缺陷而取名的。总之，名字包含着父辈的种种期望，体现了时代特征，或者某种宗教观念。

现代中国人的命名除了有传统思想的积淀以外，大都还有鲜明的时代特色。比如，不少在20世纪60年代出生的人，都取名"卫东"（保卫毛泽东的意思）、"向东"（心向毛泽东的意思）等，此外，还有"文革""跃进"等具有政治色彩的人名也为数不少。这些具有时代特色的名字很容易造成重名。近几年，这些名字减少了，人们追求的是寓意独特、新奇，吸取西洋文化的味道，如"娜""莎"等字眼；有人为了使名字达到一种视觉上的效果，还不约而同地选用"品"型结构的字，如"鑫""磊"等，给人一种造型艺术的美感。

中国实行计划生育后，大部分家庭都只有一个孩子，为了起个好名字，父母都是引经据典、绞尽脑汁。有的将父母的姓"合二为一"，成为孩子的全名，如父亲姓赵，母亲姓王，孩子的姓名便为赵王；也有人"截取"父母名字中的偏旁，所合成的汉字，用作孩子的名，如父亲名明，母亲名倩，他们就给孩子命名为晴。

孩子在正式场合用大名（学名），在家里通常用小名，叫"宝宝""贝贝"的小孩子最为普遍，或称呼贱名"狗剩""猫仔"的，有的将姓省略或将大名重叠，如"李小军"叫做"小军""军军"，这都是在家里的昵称，称呼小名给人一种亲切感。

古人说："名不正，则言不顺。"好的名字负载着亲人的希望，姓名既是某人的代号，又隐含着丰富的思想、精神，它是传统文化的载体，是几千年悠久历史的见证。

11 我该怎么办

一、教学目的

1. 学会请求；
2. 学习表达无奈。

二、教学内容

1. 交际功能：(1) 请求
   (2) 表达无奈
2. 语言要点：(1) 复现语气助词"了"
   (2) 副词"再"；表时间的方位词"以后"
3. 语音教学：(1) 听力理解（录音文本见"参考资料"）
   (2) 朗读练习（录音文本见"参考资料"）

三、课堂练习与活动

(1) 关于"演一演"

本课的活动内容是3个不同的故事，练习请求的表达。

(2) 关于"看图说话"

本练习主要训练"没有"的用法。做完教材上的练习后，教师还可以从生活中举一些类似的例子让学生进行练习。

(3) 关于"你来说一说"

可以请几名同学示范回答这些问题后，让5～6个同学一组，在小组内回答这些问题。

(4) 课堂活动："父母眼中的我"

这一活动的宗旨是让学生认识到不同的人对同一件事情的看法有可能会不同。通过沟通和交流能促进人与人之间的相互理解。如果完全按照教材的要求进行活动，教师要把活动的目的告诉家长，争取每位家长对活动的支持。教师也可以根据本班和当地的实际情况对本活动进行适当调整以便于操作。例如,请几位家长到学校,在班上谈谈他们对孩子的看法,然后组织全班讨论;或者请几位学生录下自己跟父母的谈话,在班上播放录音,全班讨论等等。

四、参考资料

1. 课文注释与语法说明

(1) 再过一个小时。

这个句子里的"再"是副词,用在动词"过"前,表示动作的继续或重复。例如:

> 我再看一会儿电视就睡觉。

> 我们再赛一次好吗?

(2) 一个小时以后我和你爸爸去接你。

"以后"是表时间的方位词,用在表时间的数量词后,表示动作在一段时间之后发生。例如:

> 半个小时以后,他给我送来了两张火车票。

> 十天以后我会打电话通知你。

(3) 她总是对我说……什么的。

"什么的"通常用在一个成分或几个并列成分之后,它的意思与"等等"相同,多用于口语。例如:

> 桌子上放着笔、本子什么的。

> 他给了我一些饼干、巧克力什么的。

> 她总是让我一回家就做作业什么的。

建议语法练习:

选择填空:

> 以前 以后 后来

①你_____做过什么工作?

②我刚毕业的时候在一家公司工作,_____去了一所学校。

③你打算_____做什么?

④十年_____我见过他一次,_____再没有看见他。

⑤二十年_____,我们会在哪儿呢?

2. 语音教学

(1) 听力理解文本:

A

我今年16岁了。我已经不是小孩子了。可是我妈妈总是以为我还是以前的小女孩。她总是喜欢给我买衣服。可是我不喜欢穿她买的衣服，因为那些衣服很不时髦。不过，她总是说我自己买的衣服不漂亮什么的。星期六，我常常参加同学们的晚会，有时候很晚才能回家，我要求在同学家过夜，我妈妈总是不同意。她总是想知道我有些什么样的朋友。可是我不想告诉她，所以我每次打电话，都躲在房间里。

判断对错：① 我妈妈觉得我是个小孩子。（对）

② 我妈妈给我买的衣服很时髦。（错）

③ 我妈妈不喜欢我自己买的衣服。（对）

④ 星期六，我要求在同学家过夜，我妈妈同意了。（错）

⑤ 我妈妈想知道我的朋友是什么人。（对）

⑥ 我在房间里打电话，因为不想让我妈听见。（对）

B

美华看见新来的邻居正在搬家，他们把家具一件一件地搬进家里。美华对妈妈说："妈妈，他们的家具为什么都是新的？"妈妈说："因为他们刚刚结婚。"美华说："妈妈，你和爸爸为什么不结婚呢？"妈妈说："我和你爸爸已经结婚18年了。"美华说："你们为什么不再结一次婚呢？这样我们就可以用新的家具了。"

回答问题：① 美华的邻居正在干什么？

② 为什么邻居的家具都是新的？

③ 美华为什么要妈妈和爸爸结婚？

④ 美华的爸爸妈妈结婚了吗？

(2) 关于朗读练习：

远远的街灯明了，好像闪着无数的明星。

天上的明星现了，好像点着无数的街灯。

我想那缥缈的空中，定然有美丽的街市。

街市上陈列的一些物品，定然是世上没有的珍奇。

这是现代诗《天上的街市》里的一节，作者是中国现代文学史上著名的文学家郭沫若。教师可以根据学生的兴趣和要求先讲解给他们听，再帮助他们练习朗读。

3. 学俗语：一年之计在于春，一日之计在于晨。

这句俗语意思是要人们珍惜光阴，做事及早动手。

4. 汉字部件

宓——"密"的声符。以"宓"为声符的字还有"蜜"。作为部件在书写时应该与单独的字有所不同。

身——"躲"的意符。"身"表示身体的意思。以"身"为意符的字还有"躯"。作为部件在书写时应该比单独的字瘦窄一些。

朵——"躲"字的声符。以"朵"为声符的字还有"垛""剁""跺"等。但这几个字的声调不完全相同："垛"(duò, duǒ)、"剁"(duò)、"跺 (duò)"。作为部件在书写时应该比单独的字瘦窄一些。

5. 文化

"三口之家"与"代沟"

中国传统的家庭模式一直是多人口的，"四世同堂"曾是中国古代理想的家庭模式，意味着人丁兴旺，充满了天伦之乐。然而时至今日，中国社会经济制度发生了巨大变化，特别是中国实行计划生育政策以来，"三口之家"已经成为"核心"家庭模式。根据有关的调查研究，三口之家所隐藏的危机近年来已经开始显露出来。由于现代社会工作节奏日益加快，父母又都工作，他们所承担的压力使他们没有更多的时间去关心自己的独生孩子，而独生子女本身就容易出现精神和心理危机，这两方面的因素加速了"代沟"的出现。家长常常不能理解孩子的思想和行为，加上教育方式简单、粗暴，极易引发两代人之间的冲突。近年来，中小学生出走、自杀的新闻屡见报端，说明了问题的严重性。教育部的心理调查显示，全国中小学生有心理疾患的比例相当惊人，目前有三千万17岁以下的青少年受到情绪障碍和行为问题困扰，突出表现为人际关系、情绪稳定性和学习适应方面的问题。为此中国教育部启动了"心理阳光工程"，倡导家长和子女共同参与，解决"三口之家"的家庭问题。

12 望子成龙

一、教学目的

1. 复习本单元所学内容；

2. 了解如何站在记者的角度叙述并评论。

二、教学内容

1. 交际功能：叙述并评论

2. 语言要点：复习本单元所学语言点

3. 语音教学：(1) 朗读练习（录音文本见"参考资料"）

               (2) 学唱汉语歌

三、课堂练习与活动

(1) 关于"排序"

本课排序练习中包含副词"就"和"才"的比较。

(2) 关于"你来说一说"

可以先请几名同学示范回答这些问题后，让5~6个同学一组，在小组内回答这些问题。

(3) 课堂活动："我的欢乐与烦恼"

教师可以向学生提供与此主题有关的一些词语，供学生参考和使用。

(4) 单元语言实践：有关代沟的调查与讨论

两代人的差异是本单元的主题。青少年的烦恼、青少年与父母之间的矛盾都是由此产生的。本活动是本单元的总结与升华。教师要做一些必要的准备，提前准备采访提纲，选择愿意参与活动的父母。最后还要有目的地组织同学们讨论。

四、参考资料

1. 课文注释与语法说明

(1) 知识越多越好。

"越 A 越 B"这种结构表示 B 的程度随着 A 的变化而变化。例如：

很多人认为城市越小越好。

孩子越大越不听话。

(2) 你对这个问题怎么想？

这个句子里的"对"是介词，用来引进与动作有关的事物。例如：

他对这里的环境很满意。

我对古典音乐很感兴趣。

我对这个问题没考虑过。

2. 语音教学

——关于"朗读练习和唱歌"：洪湖水，浪打浪

洪湖水，浪打浪。洪湖岸边是家乡，

清早船儿去撒网，晚上回来鱼满仓。

四处野鸭和菱藕，秋收满坂稻谷香，

人人都说天堂美，怎比我洪湖鱼米乡。

这是歌剧《洪湖赤卫队》中最著名的唱段，题为《洪湖水，浪打浪》。教师可以先讲解给学生听，让他们理解内容，然后再根据学生的兴趣和要求帮助他们练习朗读。

3. 补充阅读材料：半途而废、亡羊补牢（见学生用书第 12 课）

4. 汉字部件

建——"健"字的声符。以"建"为声符的字还有"键""犍""腱""楗"等，这几个字均读为 jiàn。作为部件在书写时应该比单独的字瘦窄一些。

畐——"福"字的声符。"畐"在现代有两个读音：一读 fú，一读 bì。在以"畐"为声符的字中，读音与"fú"相近的字有"幅""富""副"等，它们的声调并不完全相同："幅"(fú)、"富"(fù)、"副"(fù)；读音与"bì"音接近的字有"逼""鲴"，它们都读作"bì"。

迷——"继"字的组字部件。"继"的繁体字写作"繼"，简化为"继"字后，"迷"就是组字部件了。

刁——"司"字的组字部件。以"刁"为组字部件的现代汉字还有"习"。

卄——"算"字的组字部件。按照传统的"六书"理论，"算"字由"竹"字和"具"字组成。写为"算"之后，就由三个部件——"竹""目"和"卄"——组成了。

列——"例"字的组字部件。从古音的角度看，"列"与"例"读音相近，"列"是"例"的声符。但"列"和"例"的现代汉语读音不同，所以"列"只能看作是"例"字的部件了。以"列"为部件的字还有"烈""裂""冽""咧""趔""洌"等，它们均读为liè，因此都是以"列"为声符。作为部件在书写时应该比单独的字瘦窄一些。

卑——"牌"字的组字部件。从古音的角度看，"卑"与"牌"读音相近，"卑"是"牌"的声符。但"卑"和"牌"的现代读音相差较多，所以"卑"只能看作是"牌"的部件。以"卑"为部件的字还有"碑""脾""啤""俾""痹""婢"等，从现代汉字学的角度看，这些字中只有"碑"字与"卑"读音相同，是以"卑"为声符的，其余的字，都只能看作是以"卑"为组字部件。这些字的读音如下："碑"(bēi)、"脾"(pí)、"啤"(pí)、"俾"(bǐ)、"痹"(bì)、"婢"(bì)。作为部件在书写时应该比单独的字瘦窄一些。

卖——"读"字的部件。作为部件在书写时应该比单独的字瘦窄一些。

革——"鞋"字的意符。"革"本是皮革的意思，"鞋"是由皮革制作的，故以"革"为意符。以"革"为意符的字还有"靴""鞍""鞭"等，这些物品都是由皮革制作成的。作为部件在书写时应该比单独的字瘦窄一些。

⺍——"留"字的组字部件，写作"⺍"，是"卯"字的变体。"卯"(mǎo)与"留"现代汉语的读音差异很大，但从古音的角度看，它们读音相近，"卯"是"留"的声符。以"卯"为部件的字还有"贸"(mào)等。作为部件在书写时应该与单独的字有些区别。

5. 文化

中国古代科举制度

科举制度是中国古代选拔官吏的考试制度，从隋朝炀帝大业二年（公元606年）开始，到清代光绪三十一年（公元1905年）结束，实行了1300年，深刻地影响了中国古代社会的教育制度和教学内容。

科举制度在开创初期，主要是在唐代，知识面的覆盖还是比较广的。唐代科举除了设立"明经科"（主要考对儒家经典的记诵）外，还考试法律、时政、文字学、数学等专科知识。而到了宋代，则合并为"进士"一科，只考对儒家经义的记诵和理解。到了明、清两代，科举考试对内容的限制更加严格，并设立了严密的考试晋升制度，到最后一级，要由皇帝亲自主考。

实行科举考试的目的是为了选拔人才,这使平民百姓也有机会应考举仕,参加国家管理,具有一定的历史进步性。但科举制度历经千百年以后,逐渐走向僵化,考试内容只限于"四书""五经"等儒家经典,考生学习这些内容,通常只是为了应付考试,而不再涉猎其他学说和科学知识,严重限制了读书人的思想自由,也不利于科学技术的发展。到后来,连写文章的方法也都程式化了,考生只能写形式化的"八股文"。科举考试发展到这样的地步,必然要被历史淘汰。

6. 备用阅读材料

(1) 感谢

小明跟妈妈吵架(gēn māma chǎojià, quarrel with mother)了。妈妈很生气,对小明说"滚"(gǔn, to get out)。小明就从家里跑出来。她不知道自己走了多远,开始觉得饿了。看到前面有个小吃店(xiǎochīdiàn, snack bar),就走过去,买了一碗面条(yì wǎn miàntiáo, a bowl of noodle)。付钱(fùqián, to pay)的时候才发现,没有带钱(dàiqián, have money)。卖小吃的老婆婆(lǎo pópo, grandma)说:"没关系,我请你吃吧。"听了老婆婆的话,小明的眼泪(yǎnlèi, tears)下来了。老婆婆问她为什么哭,她就把跟妈妈吵架的事告诉了老婆婆。她说:"你跟我不认识,还请我吃面条,我妈妈却叫我滚。"老婆婆笑了,说:"我只给你一碗面条,你就感谢我,你妈妈给你做了十几年的饭,你怎么不感谢她呢?"(改写自《读者》2004年第8期)

(2) 我的女儿

小燕(Xiǎoyàn, a girl's name)是我的女儿,她16岁了,可是她好像(hǎoxiàng, seem)对社会一点儿也不了解(liǎojiě, know)。因为她总是相信陌生人(mòshēng rén, stranger)。有一次,她在商店买东西,一个妇女(fùnǚ, woman)的钱不够(bú gòu, not enough)了,小燕马上拿出50块钱说:"您用吧!"我觉得她傻(shǎ, foolish)。可是第二天有人给我打电话,问我们家的地址(dìzhǐ, address),要来还钱。有一天,她跟朋友坐出租车(chūzūchē, taxi),把书包忘(wàng, forget)在车上了。晚上,出租车的司机(sījī, driver)找到我们家,把书包还给小燕。小燕马上拿出40块钱给出租车司机。那个司机不要,可是她一定要给他。我觉得她傻。可是她说:"报纸(bàozhǐ, newspaper)上说,应该拿20%的钱给拾金不昧(shí jīn bú mèi, not pocket the money one picks up)的人,我的书包里有200元,我是不是应该给他40元呢?"(改写自《读者》2004年第16期)

(3) 孩子是谁的?

古时候(gǔ shíhou, in ancient time)有个人叫黄霸(Huáng Bà, a person's name),他被派(pài, dispatch)到一个城市做市长(shìzhǎng, mayor)。他当(dāng, serve as)市长第一天

城市里就发生了一件奇怪(qíguài, strange)的事情。两个妇女都说一个孩子是自己的。那时候的市长也是法官(fǎguān, judge)，这两个妇女来到市长面前(miànqián, presence)，要市长决定这件事。黄霸了解(liǎojiě, know)了情况(qíngkuàng, instance)，因为这个孩子将来会继承(jìchéng, inherit)家庭的财产(cáichǎn, property)，所以孩子的妈妈可以管理(guǎnlǐ, manage)这些财产。黄霸想了一会儿，他叫人把孩子放在中间(zhōngjiān, middle)，对这两个妇女说："你们抢(qiǎng, grab)吧。"结果(jiéguǒ, as a result)，两个妇女一个抱住(bàozhù, clasp)了孩子的身体，一个抱住了孩子的腿。孩子很疼，他哭了，听见孩子的哭声(kūshēng, cry)，一个妇女放开(fàngkāi, let go hold of)了孩子，她哭着说(kū zhe shuō, cry and say)："我不要孩子了。"这时候，黄霸说："先放开孩子的那个人就是孩子的妈妈!"你知道他是怎么知道的吗？（改写自《名人轶事600篇》中国青年出版社，1982）

(4) 曾子杀猪

曾子(Zēngzǐ, a person's name)是孔子的学生，是中国古代一位很有名的儒家学者(rújiā xuézhě, Confucian scholar)。这是关于他的一个很有名的家庭教育故事。故事是这样的：

曾子的妻子要上街去买东西，她的小儿子哭着也要跟着去。曾子的妻子就对儿子说："你回去等着，我回来杀猪给你吃。"她从街上回来的时候，看到曾子正准备杀猪，就急忙(jímáng, hurry)说："我只是跟孩子说着玩的，不是真的。"曾子说："跟小孩子是不能开玩笑的。孩子年幼(niányòu, young)没有知识，会处处模仿(mófǎng, imitate)父母，听从父母的教导。今天你欺骗(qīpiàn, deceive)他，就是教他学你的样子骗人。做母亲的欺骗自己的孩子，那孩子就不会相信自己的母亲了。这不是教育孩子的好办法啊!"于是，曾子杀了那头猪，煮了肉给孩子吃。

第三单元评估与测验

一、看词语，写拼音。

第9课 （ ）烦 （ ）懒 （ ）事情 （ ）理解 （ ）耳机 （ ）批评 （ ）态度

第10课 （ ）抱 （ ）孙子 （ ）对门 （ ）妻子 （ ）照顾

第11课 （ ）求 （ ）躲 （ ）了解 （ ）担心 （ ）听话 （ ）保密

第12课 （ ）健康 （ ）继承 （ ）事业 （ ）理想 （ ）例如 （ ）计算机 （ ）名牌 （ ）知识 （ ）国际 （ ）贸易

二、读拼音，写词语。

shēngqì   fàngxué   líkāi   zuòyè   xuéxí   xīngqītiān

第9课 （ ）（ ）（ ）（ ）（ ）（ ）

bāngzhù   nǚhái r   nánhái r

第10课 （ ）（ ）（ ）

zìjǐ   zhège   nàge   zhèyàng   yāoqiú

第11课 （ ）（ ）（ ）（ ）（ ）

fùmǔ   jīhuì   shēnghuó   xìngfú   gōngsī   zhuānyè   hànzì

第12课 （ ）（ ）（ ）（ ）（ ）（ ）（ ）

三、把下面的句子翻译成英语。

第9课

(1) 学校不是三点就放学了吗？

(2) 你应该做完作业再做别的事情。

(3) 我很烦。

(4) 我爸爸越来越不理解我了。

(5) 我爸爸总是批评我。

(6) 我不到六点就回家了。

(7) 我喜欢一边写作业，一边听音乐。

第 10 课

(1) 对门的两家人都姓张，你说的是哪一个？

(2) 他太太就要生第三个孩子了。

(3) 男孩儿跟女孩儿不是一样吗？

(4) 你说得不对。

(5) 有些事情只有女孩儿才能干。

(6) 他有两个女儿，大的三岁半，小的才两岁。

(7) 回家以后他还要帮助妻子照顾两个女儿。

(8) 我最近累死了。

(9) 为什么不等两个女儿长大了再生第三个孩子？

第 11 课

(1) 我打算再过一个小时回家。

(2) 她不再喜欢我给她买的衣服了。

(3) 这件衣服没有那件时髦。

(4) 我越来越不了解她了。

(5) 有些事情她对我保密。

第 12 课

(1) 父母都希望自己的孩子生活得幸福。

(2) 我以前想上大学，可是没有机会。

(3) 父母希望孩子能继承自己的事业。

(4) 他想上名牌大学。

(5) 这件事（情）我想做可是没有机会做。

四、回答问题。

第 9 课

(1) 你每天下午几点回家？ （就）

(2) 你晚上什么时候睡觉？ （才）

(3) 你喜欢学汉语吗？（越来越……）

(4) 你什么时候做作业？（再）

第10课

(1) 你们家有几个孩子？老大多大？老二多大？

(2) 你邻居的孩子上大学了吗？（才）

(3) 你晚上看电视吗？（只有……才……）

(4) 你星期天几点去打网球？（等……再……）

第11课

(1) 你们学校对学生有什么要求？

(2) 你怎么来学校？（自己）

(3) 你喜欢大熊猫吗？（对……不了解）

第12课

(1) 你会弹钢琴吗？（没有机会）

(2) 你想学什么专业？

(3) 你父母对你有什么要求？

(4) 你有什么理想？

五、写短文。

第9课

用下面的词语介绍你的一天。

就　　才　　（先）……再……　　越来越……　　一边……一边……

第10课

用下面的词语介绍你对生男孩和生女孩是否完全一样的看法。

才　　只有……才……　　更

第11课

用下面的词语介绍你最近一年的变化。

比　　没有　　……了

第12课

用下面的词语介绍你的理想。

希望　　自己　　机会　　幸福　　理想　　专业

第四单元 多元文化

单元介绍

这个单元的四课，课文形式和前面的单元相同，也是在前三课里安排了对话体和叙述体课文各一段。话题主要涉及在北美多元文化并存的社会中，中国文化与其他文化的对比，比如，婚俗节日的祝贺方式、饮食习惯方面的差异等。对话体课文在语言功能上涉及对不同婚俗、饮食习惯的谈论，同时说明自己的态度，如表示怀疑或相信等。叙述体课文与第三单元相近，仍采用成段口述的形式，帮助学生学会用口述的形式成段地表述自己的疑惑等，同时引入较多的叙述体课文，继续引导学生学习成段表述。在语言结构上主要在学习一些新的语法点，如助词"过"、带宾语的程度补语、动词重叠等的同时，也复现已经学过的语法点，比如"着"。

人物涉及李美云、杰克和马明。

13 婚礼的"颜色"

一、教学目的

1.学会谈论风俗；

2.对比不同风俗习惯。

二、教学内容

1.交际功能：谈论风俗，并对比不同风俗习惯

2.语言要点：(1) 动词重叠

(2) 存在句

3.语音教学：(1) 听力理解（录音文本见"参考资料"）

(2) 朗读练习（录音文本见"参考资料"）

三、课堂练习与活动

(1) 关于"比一比"

做完课本中的练习后，还可以从班上选择几位同学来进行比较。

(2) 关于"演一演"

本练习的主要内容是表达祝贺、称赞并回答。

(3) 课堂活动

教师可以准备一些婚礼的照片，活动前给学生展示，引起学生的兴趣。

四、参考资料

1.课文注释与语法说明

(1) 动词的重叠

汉语中的一些动词可以重叠起来使用。动词重叠后，可表示一定的意义和功能。单音节动词重叠的形式是"AA"式，如"看看""听听"；双音节动词的重叠形式是"ABAB"，如"研究研究""学习学习"，等等。单音节动词的重叠也可以在重

叠式中间加"一",如"看一看""听一听"。

动词重叠可以表示动作持续的时间短,常带有轻松、随意的意思;或表示动作进行的次数少。例如:

我只是随便看看。

我想去香港玩一玩。

有空的时候,我喜欢听听音乐。

我想把课文的内容复习复习。

(2) 存在句

在汉语里,当要表达某处存在着某物时,要使用存在句。存在句主要用来描写客观环境、人物的穿着打扮等等。存在句的结构通常是:

处所名词 + 动词 + 名词

例如:

桌子上有一本书。

窗外是一片草地。

马路边停着一辆车。

动词是"有"和"是"的存在句,我们在第二册曾经介绍过。本课课文中的存在句动词都不是"有"和"是"。我们看课文中的句子:

墙上挂着红色的"囍"字,桌子上摆着红色的蜡烛。

身上穿着红色的旗袍,脚上穿着红色的皮鞋,头上戴着红色的花儿。

在存在句中,动词后大都有动态助词"着",表示事物存在的状态。我们再看几个句子:

桌子上放着一本书。

教室里坐着十几个学生。

路边立着一块牌子。

存在句中,动词后面的名词一般要有数量词或其他定语。上面这些句子都是如此。

建议语法练习:

(1) 选择适当的动词,重叠后填在下列句子中的横线上:

① 周末的时候,我喜欢 _____ 电影, _____ 乒乓球。

② 老师让我们把明天要学的课 _____ 。

③ 寒假的时候,我打算去香港 _____ 。

④ 你现在有空吗? 咱们 _____ 好吗?

⑤今天是星期天，我们去商店 _____ 吧。

(2) 用动词加"着"填空：

①窗台上 _____ 一盆花。

②他头上 _____ 一条白色的围巾。

③ 窗户的旁边 _____ 一只鹦鹉。

④马路边 _____ 一辆黑色的轿车。

⑤墙上 _____ 几个字：请勿吸烟。

2. 语音教学

(1) 听力理解文本：

A

杰克昨天参加了中国人的婚礼。他发现中国人的婚礼跟西方人的婚礼很不一样。西方的新娘穿着白色的裙子，白色的皮鞋，戴着白色的花。可是中国新娘身上穿红色的旗袍，脚上穿红色的皮鞋，头上戴红色的花儿。中国人结婚的时候，门口挂着红色的灯笼，房间里的很多东西也都是红色的，墙上挂着红色的"囍"字，桌子上摆着红色的蜡烛。中国人结婚的时候还要放鞭炮，这也跟西方不一样。

判断对错：① 杰克昨天参加了西方人的婚礼。（错）

② 西方的新娘不穿红色的旗袍。（对）

③ 中国的新娘脚上穿白色的皮鞋。（错）

④ 中国人结婚的时候门口挂着红色的灯笼。（对）

⑤ 中国人结婚的时候还放鞭炮，这跟西方一样。（错）

B

酸奶公司有一个新的广告："我们的酸奶又酸又甜，有初恋的味道。"记者看到了广告，去问酸奶公司的经理："如果小孩儿问，什么是初恋的味道，怎么办？"经理说："这很容易，你告诉小孩儿，初恋的味道就是酸奶的味道，再买一杯酸奶给他尝一尝就可以了。"

回答问题：① 酸奶公司的广告说什么？

② 记者问什么？

③ 经理说什么？

④ 你认为酸奶和"初恋"有什么关系？

(2) 关于朗读练习：

渭城朝雨浥轻尘，客舍青青柳色新。

劝君更进一杯酒，西出阳关无故人。

这是唐代诗人王维的一首送别诗，题为《送元二使安西》。诗的前两句写景：渭城的早晨下了雨，空气清新，旅店掩映在清翠鲜亮的柳阴里；后两句是诗人对朋友说的话：再干一杯吧，向西出了阳关之后，就很难再见到老朋友了。渭城，古代咸阳；浥，润湿；阳关，古代通往西域的重要关口。

教师可以先讲解给学生听，让他们理解内容，然后再根据学生的兴趣和要求帮助他们练习朗读。

3.学成语：塞翁失马

这个成语出自《淮南子·人间训》，用来指坏事在一定条件下会转化成好事，也用来比喻因损失而得到好处。故事见学生用书第16课。

4.汉字部件

龙——"笼"的声符。以"龙"为声符的字很多，如"聋""拢""陇""垄""眬"等，但它们的声调不完全一样："聋"（lóng）、"拢"（lǒng）、"陇"（lǒng）、"垄"（lǒng）、"眬"（lóng）。作为部件在书写时应该比单独的字瘦窄一些。

向——"响"的声符。以"向"为声符的字还有"饷"。这几个字的读音是：向（xiàng）、响（xiǎng）、饷（xiǎng）。作为部件在书写时应该比单独的字瘦窄一些。

共——"恭"字的声符，但二者的声调不一样："共"（gòng）、"恭"（gōng）。以"共"为声符的字还有"供""拱""珙"，它们的声调也不一样："供"（gōng）、"拱"（gǒng）、"珙"（gǒng）。作为部件在书写时应该比单独的字瘦窄一些。

大——"夸"字的组字部件。以"大"为组字部件的现代汉字有"夺""奋""奇""夯"等。作为部件在书写时与单独的字相比有些不同。

亏——"夸"字的组字部件。"亏"与"夸"的现代读音相差很多，但在古代，二者读音相近，按照传统的"六书"理论，"亏"是"夸"的声符。作为部件在书写时与单独的字相比有些不同。

亲——"新"字的组字部件。"亲"与"新"的现代读音不同，但在古代，二者读音相近，按照传统的"六书"理论，"亲"是"新"的声符。作为部件在书写时应该比单独的字瘦窄一些。

啬——"墙"字的组字部件。以"啬"为组字部件的现代汉字还有"穑"。作为部件在书写时应该比单独的字瘦窄一些。

罢——"摆"字的组字部件。"摆"的繁体字写作"擺"，由于"罷"简化为"罢"，于是"擺"就简化为"摆"。"罢（罷）"与"摆（擺）"的现代读音相差较大，但在古代，它们的读音很相近，按照传统的"六书"理论，"罢（罷）"是"摆（擺）"的声符。作为部件在书写时应该比单独的字瘦窄一些。

虫——"烛"字的组字部件。"烛"的繁体字写作"燭"，"蜀"是"燭"的声符。简化为"烛"之后，"虫"就只能是部件了。由于简化而以"虫"为组字部件的现代汉字还有"浊"。作为部件在书写时应该比单独的字瘦窄一些。

夷——"姨"字的声符。以"夷"为声符的字还有"咦""胰""痍"等，它们的读音分别为："咦"(yí)、"胰"(yí)、"痍"(yí)。作为部件在书写时应该比单独的字瘦窄一些。

5. 文化

颜色的象征

在中国古代，一直存在着"颜色崇尚"的现象，到唐朝时正式形成了黄、紫、朱（红）、绿、青（蓝）、黑、白的颜色序列，成为古代中国社会的等级标志，其中有些颜色在秦汉时代就是国家命运的象征。

在诸多颜色中，黄色象征着神圣、权威、庄严，中国历代都以黄为尊，汉字中"皇"与"黄"同音，古代皇帝都崇尚黄色，"黄袍加身"意味着得到皇权。红色则是一种高贵的颜色，也象征着权贵，一度是朝廷大官官服的颜色。普通百姓崇尚红色则是认为红色象征吉祥、喜庆、欢乐、生命、忠勇等，所以在婚礼时新娘穿红色衣服，喜庆送礼用红包。黑色在中国古代曾被认为是上天的颜色，《易经》中就有"天玄地黄"之说。但黑色同时也代表邪恶、灾难、恐怖、痛苦，因此举行葬礼时经常穿黑色。应该说，汉族人一般是忌讳白色的，认为白色代表悲哀、痛苦和死亡，丧礼时常着白色以示肃穆、哀悼。京剧中的白脸也象征着狡猾奸诈的性格。但中国有些少数民族则喜爱白色，如藏族、白族等。

14　不同的节日，同样的祝贺

一、教学目的

1. 学习表示劝止和猜测；

2. 学习向别人介绍某种风俗。

二、教学内容

1. 交际功能：(1) 表示劝止和猜测

(2) 向别人介绍某种风俗

2. 语言要点：(1) 句式"别……了"

(2) 助动词"要"

3. 语音教学：(1) 听力理解（录音文本见"参考资料"）

(2) 朗读练习（录音文本见"参考资料"）

三、课堂练习与活动

(1) 关于"排序"

这一课排序练习包含程度补语的语序。

(2) 关于"看图说话"

这个练习的主要内容是让学生说说有关节日的各种风俗。可以结合课堂活动一起进行。

四、参考资料

1. 课文注释与语法说明

(1) 你写汉字写得很好。

这个句子里的谓语动词是"写"，宾语是"汉字"，"很好"是程度补语。关于动词带宾语同时带程度补语的句法结构，可参考本册教师用书第1课的"语法说明"。

(2) 别开玩笑了。

"别……了"这一句式通常用于劝止。如"别说话了""别出去了"等等。"别"作为副词，用在动词前，即可表示劝止，但这样的句子多带有命令的语气，比较生硬，如"别说话！"等等，在句子末尾加语气词"了"，则使句子的语气变得缓和。试比较：

别说话！

别说话了。

(3) 孩子们要帮助父母打扫房间。

这个句子里的"要"是助动词，表示须要、应该。再看两个例子：

学生要遵守学校纪律。

他下班后要帮助妻子做家务。

住宾馆要有身份证。

"要"的这一义项的否定一般说"不须要"。如：

他下班后不须要帮助妻子做家务。

住宾馆不须要有身份证。

"不要"通常用于禁止或劝阻，与"不须要"的意思不同。如：

不要随地吐痰。

不要在教室里大声说话。

2. 语音教学

(1) 听力理解文本：

A

春节是中国最重要的传统节日。春节就要到了，杰克想在他家门的两边贴一副春联。他不知道应该写什么，就去请马明帮忙。马明这时候正在帮助父母打扫房间，马明的妈妈在准备吃的东西。马明给杰克写了一副春联，上联是：二三四五，下联是：六七八九。杰克不太喜欢，马明又写了一副，上联是：松竹梅岁寒三友；下联是：桃李杏春风一家。杰克觉得这副很不错。

判断对错：① 杰克要学汉语，所以他在家门的两边贴春联。（错）

② 杰克请马明帮助他写贺卡。（错）

③ 马明的妈妈请杰克吃东西。（错）

④ 马明写了两副对联，杰克都不喜欢。（错）

B

小王在这个公司已经工作了15年，他很希望得到提升，可是经理好像忘记了他。

公司里来了一个年轻人，才工作了一年就得到了提升。小王很生气，他去找经理说："我在这个公司已经工作了15年，我有15年的经验，可是你现在却提升一个只有一年经验的人。"经理说："你只有一年的经验，你只是把这个经验用了15次。"

回答问题：① 小王工作了多少年？

② 小王得到提升了吗？

③ 小王为什么很生气？

④ 经理觉得自己做得对吗？为什么？

(2) 关于朗读练习：

新郎和新娘，柳阴里面来乘凉。

新娘问新郎，你要去捉鱼，还是去打狼？

新郎答新娘，我不去捉鱼，我也不打狼，我要回家找我娘。

这是一段绕口令，教师可以根据学生的兴趣和要求先讲解给他们听，帮助他们练习朗读。

3. 学成语：狐假虎威

这个成语出自《尹文子》《战国策》等典籍，用来比喻依仗别人的权势吓唬人、欺压人。故事见学生用书第16课。

4. 汉字部件

专——"传"字的声符。"传"的繁体字写作"傳"，"專"简化为"专"，所以"传"也简化为"傳"。"传"有两个读音：zhuàn 和 chuán。这是古今音的不同造成的。以"专"为声符的字还有"砖""转""啭"等。它们的声调有些差异："砖"(zhuān)、"转"(zhuǎn)、"啭"(zhuàn)。作为部件在书写时应该比单独的字瘦窄一些。

充——"统"字的组字部件。从古音的角度看，这两个字的读音相近，所以按照传统的"六书"理论，"充"是"统"的声符。但"充"与"统"的现代读音有些差异，所以"充"只是"统"的部件。以"充"为部件的字还有"铳"(chōng)。"铳"与"充"读音相同，可以看作以"充"为声符。作为部件在书写时应该比单独的字瘦窄一些。

5. 文化

对　联

对联，也叫对子、楹贴、楹联，是指悬挂、粘贴或雕刻在壁间、门边、楹柱等处

84

的联语。它是从古代的"桃符"演化而来的。

关于"桃符"的起源，有一段神话传说。据古书《山海经》记载，传说在东海里有一座很大的度朔山，山上有一株方圆三千里的巨大桃树，桃树的一条枝干弯弯地拖到地面上，形成一个拱门。度朔山上住着各种恶鬼，它们出山，必须从这拱门通过。玉帝怕恶鬼扰乱人间，便派善于捉鬼的两位神将把守拱门，如有恶鬼胆敢下山，就把它们绑起来送去喂虎。这样，古代的中国人就用桃木雕刻出这两位神将的像，装饰在门上，用以镇压邪鬼。后来，把二位神将的像画在两块桃木板上，代替雕刻的神像，名曰"桃板"。以后又简化，只在桃板上面写上二神将的名字，钉到门上，最后索性连桃板也省去，用两张纸，或画神将的像，或画符咒，或写吉利话，便是"桃符"。

到五代（公元907—960年）时，桃符上开始用联语。后人认为，最早的对联是五代后蜀国君孟昶于一年除夕在桃符上题写的。由于劳动人民的创造、文艺家的提倡和统治者的支持，对联逐渐形成了一个独具特色的艺术种类，风行全国，并传播到日本及东南亚一带。从现有资料看，对联艺术形成于两宋，盛行于明清。时至今日，对联仍然是中国人文化生活中一项不可缺少的组成部分。

对联是在中国古代诗歌基础上产生的汉语特有的一种语言艺术。它分上下两联，竖写，右为上联，左为下联。每联的字数多少不论，短的仅四五字，长的有一二百字。但是，上下两联的字数必须相等，相对应的各句字数也应相等。而且，上下联句子的语法结构要相同，对应位置上的词的词性要相同或相近，词义要相关。另外，对联中的用字还要讲究平仄。但现在对对联的要求已不十分严格，只要上下联的字数相等，大体上对偶，上联末句落仄声，下联落平声，就可以了。

根据不同用途，对联又可分为春联、名胜联、庆吊联、书室联、行业联等。下面略举几例：

　　爆竹千声歌盛世，
　　红梅万点报新春。　　（春联）
　　风声雨声读书声声声入耳，
　　家事国事天下事事事关心。　　（无锡东林书院联）
　　花深深，柳阴阴，听隔院笙歌，且凉凉去，
　　月浅浅，风剪剪，数高城更鼓，好缓缓归。　　（贵阳江南会馆对联）
　　板凳要坐十年冷，
　　文章不写一句空。　　（历史学家范文澜自书警句联）

15　你更喜欢吃哪一种菜

一、教学目的

学习讨论不同民族的饮食习惯。

二、教学内容

1. 交际功能：讨论不同民族的饮食习惯
2. 语言要点：(1) 动态助词"过"
　　　　　　(2) 相邻数字表达概数
3. 语音教学：(1) 听力理解（录音文本见"参考资料"）
　　　　　　(2) 朗读练习（录音文本见"参考资料"）

三、课堂练习与活动

(1) 关于"匹配"

这一课匹配练习中包含"先……，再……"句式的练习。

(2) 关于"会话练习"

做完课本上的替换练习后，可以让学生回忆当地中餐馆的名称，进行同类的练习或者表演。

(3) 关于"猜一猜"

可以在已有的菜的基础上，让学生再回忆自己知道的其他菜种和菜名。

(4) "我们家的菜单"

这个练习主要复习课文以及导入中的词语，教师可以提供一些菜名供学生选择。

(5) 课堂活动："我们去吃什么菜好？"

先讨论本城市中哪几个国家的菜比较常见。教师可以提前让学生到附近的餐馆里收集一些菜单，包括菜名和价格。

四、参考资料

1. 课文注释与语法说明

(1) 概数的表达

在汉语里，概数可以有几种不同的表达方法。我们以前介绍过用"几""多"表达概数，在这里我们再介绍另外一种表达方法：用相邻的数字表达概数。

用相邻的数字表达概数，通常取决于精确的程度。我们看几个句子：

教室里有七八个人。

教室里有二十七八个人。

教室里有二三十人。

这个学校有四五百人。

这个年级大概有一百三四十人。

(2) 动态助词"过"

动态助词"过"可以用在动词后，也可以用在形容词后，表示曾经发生过某一动作，或出现过某种状态。

动态助词"过"表示的是过去曾经发生的动作或存在的状态。用于肯定句时，表示到说话时动作已不再进行，原来的状态也往往已不存在，但曾经发生过的动作或曾经有过的状态与正在谈论的话题有关，或对现在有影响。例如：

我去过香港，那儿比这儿热得多。

我在图书馆见过这本书，怎么会借不到呢？

我吃过中国菜，中国菜的味道跟法国菜不一样。

去年夏天北京曾经热过一个月。

否定形式是在动词或形容词前加"没"或"没有"，说明该动作没有发生过、该状态没有存在过。如：

他没上过学。

我没去过那个商店。

11班的教室里从来没有安静过。

在连动句中，"过"一般要放在第二个动词后。例如：

我去那个商店买过东西。

他去美国学过英语。

杰克骑自行车去过那个地方。

否定时，"没"或"没有"一般放在第一个动词的前边。如：

他没去美国学过英语。

我没用筷子吃过饭。

建议语法练习：

用"着""了""过"填空：

①外边下 _____ 雨，你别出去了。

②我以前去 _____ 那个地方，非常漂亮。

③昨天我去电影院看 _____ 一场电影。

④门开 _____，可是里边没有人。

⑤马明一边开车，一边唱 _____ 歌。

⑥她没用筷子吃 _____ 饭，不知道筷子怎么用。

⑦老师常常站 _____ 给我们讲课。

⑧你别着急，我下 _____ 课就去找你。

⑨那个人我见 _____，穿 _____ 蓝色的衣服，戴 _____ 一副眼镜。

2. 语音教学

(1) 听力理解文本：

A

不同的民族有不同的饮食习惯。在中国，人们吃饭的时候，大家坐在一起，桌子中间摆着菜，每个人用筷子夹菜吃。中国人觉得这样吃饭很热闹。在中国，不同的地方，菜的味道不一样。北京人很少吃辣的，但是四川人很喜欢吃辣的。所以川菜和墨西哥菜差不多，但是和北京菜不一样。

判断对错：① 很多民族的饮食习惯差不多。（错）

② 中国人吃饭的时候常常吃五六个菜。（错）

③ 中国四川的菜和北京的菜差不多。（错）

④ 中国人觉得大家一起吃饭很热闹。（对）

B

美华和爸爸一起去看电影。电影里有个黑胡子、白头发的人。美华觉得很奇怪，他问爸爸："为什么这个人的头发是白的，可是胡子是黑的？"爸爸说："因为头发是跟人一起出生的，可是胡子要在人出生30年以后才长出来。"美华说："哦，我明白了，因为头发比胡子大30岁，所以头发先白。"

回答问题：① 美华在哪里看见了黑胡子、白头发的人？

② 美华为什么觉得奇怪？

③ 爸爸怎么回答美华的问题？

④ 美华明白了什么？

(2) 关于朗读练习：

春笋，你好！

在我的记忆里，年年春天你来得最早。

几场春雨飘洒，春天的竹林你长得最快。

在我屋旁的竹林里，你邀我一起寻找绿色的梦。

教师可以先讲解给学生听，让他们理解内容，然后再根据学生的兴趣和要求帮助他们练习朗读。

3. 学俗语：只要功夫深，铁杵磨成针。

这句俗语意思是说，只要坚持努力，持之以恒，没有做不成的事情。

4. 汉字部件

戋——"钱"的组字部件。"钱"的繁体字写作"錢"，由于"戔"简化为"戋"，所以"錢"也简写为"钱"。"戋（戔）"与"钱（錢）"的现代读音有些差异，但从古音的角度看，二者读音相近。在现代汉字中，以"戋"为部件的字还有"贱""践""笺""栈""浅"等。它们的读音并不相同："贱"(jiàn)、"践"(jiàn)、"笺"(jiān)、"栈"(zhàn)、"浅"(qiǎn)。作为部件在书写时应该比单独的字瘦窄一些。

吏——"使"字的组字部件。从古音的角度看，二者读音相近，所以按照传统的"六书"理论，"吏"是"使"的声符。但"吏"与"使"的现代读音相差很大，"吏"只能看作是"使"的部件。作为部件在书写时应该比单独的字瘦窄一些。

快——"筷"字的声符。作为部件在书写时与单独的字相比有些不同。

5. 文化

药 膳

一个人的身体健康与他的饮食有着很大的关系。在中国，中医学理论一直强调合理饮食与身体健康的关系。同时，中医学还重视利用有药用价值的食物，或将某种药物加入饮食中，以起到去病强身的作用，这叫做"药膳""食疗"。日常生活中的许多食品材料都可以作为"药膳"使用。比如，萝卜有宽中行气助消化的功能；生姜能解表温中散寒，与葱白煎汤，可治风寒感冒；大枣能补气养血安神，与红糖同煎，可用于产后血虚症的调理；龙眼肉养血安神，用来煮粥可治因脑力劳动过度而心悸失眠。

再如用山药、莲子煮粥可以健脾补气，用来治脾胃功能弱而腹泻者很有效；以川贝、鸭梨、冰糖同蒸，可以治干咳。这些都是千百年来人们积累的经验，是中医药学的一部分，也是中国饮食文化的一部分。

16 什么礼物最吉利

一、教学目的

　　1. 复习本单元所学内容；
　　2. 学习写贺卡。

二、教学内容

　　1. 交际功能：写贺卡
　　2. 语言要点：复习本单元所学语法点
　　3. 语音教学：(1) 听力理解（录音文本见"参考资料"）
　　　　　　　　　(2) 朗读练习（录音文本见"参考资料"）

三、课堂练习与活动

　　(1) 练习：关于"演一演"

　　本课的"演一演"的内容是赠送生日礼物的故事，可以在此基础上，让学生自己替换不同的生日礼物进行表演。

　　(2) 单元语言实践：

　　本活动是个综合性的活动。教师应提前做一些必要的准备，联系采访的老师，指导学生收集相关的资料，同时自己也收集一些关于吉祥物、民俗的资料和同学们一起讨论。最后让学生分小组完成调查报告，把学生的调查报告在全班展示（做成海报）或者汇报。

　　(3) 关于写作——可要求学生用电脑完成。

四、参考资料

　　1. 课文注释与语法说明
　　(1) 我还没想好送什么。
　　"还"作为副词，可以表示动作或状态的持续。例如：

他还在睡觉。

我还不知道考试的时间。

已经春天了，还这么冷。

这个句子里的"好"位于动词"想"后，做结果补语。"好"做结果补语，通常表示动作完成而且达到完善的地步。例如：

那位师傅把我的自行车修好了。

房间的东西已经收拾好了。

(2) 送钟是不吉利的。

在汉语中，"钟"与"终"的读音相同。"送终"这个词的意思是指在长辈亲属临终时子女或朋友等人在身旁照料，直到他去世，或指安排长辈亲属的丧事，所以一般认为把钟作为礼物不太合适。

建议语法练习：

选择适当的动词加上结果补语填空：

①我已经把作业 ＿＿＿＿ 了。

②老师说的话我 ＿＿＿＿ 了。

③明天就要考试了，可是我还没 ＿＿＿＿。

④广告牌上的字你能 ＿＿＿＿ 吗?

⑤我想买的书 ＿＿＿＿ 了。

⑥他把电脑 ＿＿＿＿ 自己的房间里。

⑦上个星期我的自行车丢了，现在还没 ＿＿＿＿。

⑧我 ＿＿＿＿ 了，不想再吃了。

2. 语音教学：

—— 关于"朗读练习和唱歌"：掀起你的盖头来

掀起了你的盖头来，让我看你的眉毛，

你的眉毛细又长，好像树梢的弯月亮。

掀起了你的盖头来，让我看你的眼睛，

你的眼睛明又亮，好像秋波一般样。

掀起了你的盖头来，让我看你的脸儿，

你的脸儿红又圆，好像苹果到秋天。

教师可以根据学生的兴趣和要求先讲解给他们听，帮助他们练习朗读，然后再学唱。

3.补充阅读材料：塞翁失马、狐假虎威（阅读文本见学生用书第16课）

4.汉字部件

乚——"礼"字的组字部件。"礼"的繁体字写作"禮"，"豊"为声符。简化为"礼"之后，"乚"就只能是组字部件了。

勿——"物"字的声符。以"勿"为声符的字还有"芴"(wù)。在古代，"忽""笏""囫"等字也以"勿"为声符，但它们现代汉语的读音都与"勿"不同："忽"(hū)、"笏"(hù)、"囫"(hú)。作为部件在书写时应该比单独的字瘦窄一些。

市——"闹"字的组字部件。作为部件在书写时与单独的字相比有些不同。

尗——"叔"字的声符。二者的声调稍有不同："尗"(shú)、"叔"(shū)。作为部件在书写时应该比单独的字瘦窄一些。

戊——"戚"的组字部件。作为部件在书写时与单独的字相比有些不同。

巳——"包"的组字部件。按照古文字形，"巳"本表示小儿的形象，"包"是会意字，是怀孕的意思。但从楷书字形中已看不出这种含义，只能看作组字部件。

或——"惑"字的声符。作为部件在书写时与单独的字相比有些不同。

5.文化

礼物与禁忌

在中国，礼尚往来是人之常情，因此去别人家里做客免不了要带点礼物。

送礼的习俗古代就有，据说唐朝有位将军派人从边疆给皇帝送礼，礼物是一只天鹅，带礼物的人不小心让天鹅飞了，这不是犯了死罪吗？他吓得嚎啕大哭，越哭越伤心，顺口编了一首诗，其中有一句"礼轻人意重，千里送鹅毛"，他把手中的鹅毛送给了皇帝。皇帝被感动了，没有杀他，还用酒招待他。后来人们就用"千里送鹅毛，礼轻情义重"来表示礼物虽少，但情义深厚的意思。

礼物不必贵重，只要合适有意义就行，重在一片心意。看望老人可以送一些营养品，孩子生日可以送些玩具，探望病人送水果或鲜花等等。参加婚礼，不能送钟和伞，因为"钟"和"终"（有"结束""终了"义）同音，"伞"和"散"（有"离散"义）同音，不吉利。送的礼金必须是双数，单数也不吉利。参加葬礼，可送花圈，也可送钱，钱的数目要单数，如"一百零一"，因为死的只是一个，不能成双。送礼要在受礼人家中或与他独处时，送礼前最好弄清受礼人的爱好与习俗，免得生出不快。收了别人的礼物后，要在适当时机回礼，来而不往非礼也。至今，礼物往来仍是人们交际活动中的重要内容，人们通过送礼来增进感情加强联系。

除了礼物以外，在别人困难的时候伸出援助之手，也是最好的人情。受助人收下了这份情谊，会十分感激。

6. 备用阅读材料

(1) 老鼠(lǎoshǔ, mouse)的新娘

一只老鼠很想结婚，可是它找了很长时间也没有找到合适 (héshì, suitable)的新娘。最后，它碰到 (pèngdào, to meet)了一只蝙蝠，蝙蝠同意跟它结婚。很多别的老鼠听说了这件事，它们都笑话 (xiàohua, joke)这只老鼠说，你怎么会跟蝙蝠结婚呢？这只老鼠说：那有什么不好，它比你们强 (bǐ nǐmen qiáng, be better than you)。这些老鼠问：它什么地方比我们强？这只老鼠说：它是空姐 (kōngjiě, air hostess)呀！(改写自一条手机短信)

(2) 中国古代的婚礼

在古代，中国年轻人 (niánqīng rén, young people)结婚不自由 (zìyóu, free)，跟谁结婚是父母 (fùmǔ, parent)决定的事，新郎和新娘在婚礼以前也不可以见面，所以很多人在结婚的那天才能看见自己的妻子 (qīzi, wife)或者丈夫 (zhàngfu, husband)。在结婚以前要做六件事，叫做"六礼"。第一，在新郎和新娘的父母决定这件事以后，新郎的父母要先送 (sòng, to give)一只大雁 (dàyàn, wild goose)给新娘的父母，表示 (biǎoshì, to show)已经决定。第二，新郎的父母要了解 (liǎojiě, to know)新娘的名字和生日，他们认为两个人的名字和生日决定这两个人能不能生活在一起。比如，如果新娘属虎 (shǔ hǔ, born in the Year of the Tiger)，新郎属兔 (shǔ tù, born in the Year of the Rabbit)，就会有问题。第三，占卜 (zhānbǔ, augury)，让神告诉他们，可不可以结婚。第四，新郎家向新娘家送礼物，叫做聘礼。第五，选择结婚的日子。第六，举行婚礼。(改写自《中国少年儿童百科全书》，浙江教育出版社，1991)

(3) 祭灶

古代的中国人过 (guò, spend)新年以前都要祭灶 (jìzào, fete the deity of kitchen range)。古代的中国人把做饭的地方叫做"灶"，他们相信 (xiāngxìn, to belive)每个家庭都有一个灶神 (zàoshén, the deity of kitchen range)。灶神知道每个家庭每天发生的事情，每个新年以前，灶神要到天上去，告诉天帝 (tiāndì, God in heaven)这个家庭的情况 (qíngkuàng, instance)。他们相信，如果灶神高兴，他就会说这个家庭的好话 (hǎohuà, fine words)，天帝第二年就会送给这个家庭好运气 (hǎo yùnqi, good luck)；如果灶神不高兴，他就会说这个家庭的坏话 (huàihuà, cuss)，天帝第二年就会带给这个家庭坏运

气 (huài yùnqi, bad luck)。所以，中国农历每年12月23日晚上，很多家庭都要祭灶，把酒和肉 (jiǔ hé ròu, wine and meat)放在灶神的画像 (huàxiàng, figure)前面，希望灶神吃饱了，喝醉 (hēzuì, be drunk) 了，到了天上只说好话，不说坏话。(改写自《中国少年儿童百科全书》，浙江教育出版社，1991)

(4) 春联的故事

古时候有一个人，字写得非常好。春节的时候，很多人都想得到他写的春联。可是让每一个人都得到他写的春联是不可能的，因此当他自己家的春联刚刚贴上的时候，就被人偷偷地拿走了。他写了好几次，都是这样。第二天就是春节了，怎么办呢？他于是写了这样一副对联贴在门上：福无双至 (fú wú shuāng zhì, happiness never come twice)，祸不单行 (huò bù dān xíng, disasters never come alone)。别人看到这副对联，知道是不吉利的话，当然就没有人拿了。第二天早上，人们再看这副对联时，却发现跟原来不一样：福无双至今朝至 (fú wú shuāng zhì jīn zhāo zhì, although happiness never come twice, they came this morning)，祸不单行昨夜行 (huò bù dān xíng zuó yè xíng, although disasters never come alone, they went away last night)。人们看着这副对联，不但佩服 (pèifú, admire)他的书法，更佩服他的智慧 (zhìhui, brightness)。

第四单元评估与测验

一、看词语，写拼音。

（　）（　）（　）（　）（　）（　）（　）（　）（　）（　）（　）

第13课　夸　墙　摆　放　鞭炮　响　知道　灯笼　开张　恭喜　蜡烛　喜事

（　）（　）（　）（　）（　）（　）（　）

第14课　寄　贴　猜　开玩笑　性格　开朗　吉利

（　）（　）（　）（　）（　）（　）（　）（　）（　）（　）

第15课　刀　叉　抓　尝　挣钱　民族　饮食　餐具　使用　筷子　卫生

（　）（　）（　）（　）

第16课　伞　钟　闹钟　亲戚　红包

二、读拼音，写词语。

jiǎo　xīnláng　xīnniáng　lìngwài　huār　xīfāng　āyí　zhèbiān　nàbiān

第13课　（　）　（　）　（　）　（　）　（　）　（　）　（　）　（　）　（　）

zhòngyào　chuántǒng　rénmen　guòjié　huòzhě

第14课　（　）　（　）　（　）　（　）　（　）

qǐngkè　diǎncài　xíguàn　wǎngwǎng

第15课　（　）　（　）　（　）　（　）

xiǎng　zhèxiē　xiàge xīngqī

第16课　（　）　（　）　（　）

三、把下面的句子翻译成英语。

第13课

(1) 这家饭馆今天开张。

(2) 放鞭炮是为了表示庆祝。

(3) 如果你过春节的时候来这儿，这里就更热闹了。

96

(4) 中国人有喜事的时候放鞭炮。

(5) 如果说中国人的婚礼是红色的，那么可以说西方人的婚礼是白色的。

(6) 今天这里很热闹，有很多人举行婚礼。

(7) 恭喜，恭喜！

第14课

(1) 你写汉字写得很好。

(2) 请帮我写一张贺卡。

(3) 别开玩笑了。

(4) 他的性格很开朗。

(5) 人们开始忙着准备过节。

(6) 孩子们要帮助父母打扫房间。

(7) 人们把吉利的话写在红色的纸条上，把纸条贴在门的两边。

第15课

(1) 最近流行吃中国菜。

(2) 我们点了一两个凉菜。

(3) 他们点了四五个热菜。

(4) 我应该先去挣钱，然后再去饭馆吃饭。

(5) 不同的民族往往有不同的饮食习惯。

(6) 欧洲人习惯用刀、叉吃饭。

第16课

(1) 下个星期是安妮的生日。

(2) 我还没想好送她什么礼物。

(3) 听说，红色是吉利的颜色。

(4) 看到这些礼物，就会想起送东西的人。

(5) 你可以用红包里的钱买你喜欢的东西。

(6) 虽然我也喜欢红包，可是我更希望收到东西。

四、回答问题。

第13课

(1) 你们教室里挂着什么？

(2) 你的桌子上摆着什么？

(3) 你晚上什么时候睡觉？（如果……那么……）

第14课

(1) 你的汉字写得怎么样？

(2) 你喜欢讲故事吗？

(3) 你喜欢什么性格的朋友？

(4) 你们这儿最重要的传统节日是什么？

(5) 今天晚上你要做什么？（或者）

第15课

(1) 你吃过哪些国家的菜？

(2) 你明天什么时候去打网球？（先……（然后）再……）

(3) 你经常吃西餐还是中餐？（习惯）

(4) 你要买几件衣服？（一两件）

(5) 你打算旅行几天？（三两天）

第16课

(1) 如果你的朋友过生日，你会送他什么礼物？

(2) 在你们这儿，什么礼物最吉利？

(3) 你收到过什么礼物？

(4) 你最希望收到什么礼物？

五、造句。

第13课

另外　　热闹　　如果……那么……

第14课

要　　或者

第15课

先……（然后）再……　　习惯　　……过

第16课

送礼物　吉利　希望

第五单元 饮食与健康

单元介绍

这个单元的四课，课文形式和前面的单元相同。话题主要涉及与饮食健康相关的烹调、体检、减肥等内容。对话体课文在语言功能上涉及提醒、同意、反对以及对某事加以评论等等。叙述体课文与第四单元相近，仍采用口述成段语句的形式，帮助学生了解并学会用口述的形式成段地表述自己的疑惑等，同时引入具有说明性质的课文，引导学生学习成段表述。在语言结构上主要学习"把"字句、"到"做结果补语、副词"又"的用法等等。

人物涉及李美云、杰克和马明，马明的父母、美云的父母等。

复习课课文是一段较长的记叙文，也是一个幽默故事。

17 我把菜谱带来了

一、教学目的

1. 学会提醒他人；

2. 学习读菜谱；

3. 告诉别人如何做菜。

二、教学内容

1. 交际功能：(1) 提醒他人

              (2) 读菜谱

              (3) 告诉别人如何做菜

2. 语言要点："把"字句

3. 语音教学：(1) 听力理解（录音文本见"参考资料"）

              (2) 朗读练习（录音文本见"参考资料"）

三、课堂练习与活动

(1) 关于"会话练习"

本练习的内容是提醒与约定，还可以让学生自己根据现有材料再创造一些对话。

(2) 关于"看图说话"

本练习主要训练"先……，然后……，再……"句式。做完课本上的练习后，结合看图说话，让学生根据自己的实际情况说一说：

① 下课以后，你先做什么，然后再做什么？

② 晚上，你先做什么，然后再做什么？

(3) 课堂活动："我们班的午餐会"

教师要提前准备，先调查一下本班同学有多少会做菜，会做什么菜，鼓励不会做菜的同学尝试着学习做菜。

四、参考资料

1. 课文注释与语法说明

(1) 我把菜谱带来了。

这是一个"把"字句，动词后边是简单趋向补语。在带有趋向补语的动词谓语句中，如果动词所带的宾语不是表示处所的名词，而且所指的对象是确定的，可以用"把"字句的结构。例如：

我把那个人叫来了。（我叫来了那个人。）

我的中国朋友把我要的书寄来了。（我的中国朋友寄来了我要的书。）

(2) 如果你想学习做中国菜，你应该先找到一个菜谱，然后把需要的蔬菜买来，再把它们洗干净。

"先……然后……再……"通常用来表示动作的先后次序。例如：

我打算先参加考试，然后去旅行，再回国找工作。

建议语法练习：

用"把"字句完成下列句子：

① 刚才杰克来借我的中文书，我已经 _____ 。

② 教室有很多垃圾，我们 _____ 吧。（建议动词：扫、扔）

③ 我的电脑坏了，要送去修理，你 _____ 吗？

④ 我的雨伞不在这儿，有人 _____ 。

⑤ 听说杰克饿了，正好玛丽买了面包，她叫我 _____ 。

2. 语音教学

(1) 听力理解文本：

A

美云和马明来到杰克家，他们三个人一起学习做中国菜。杰克拿来了锅和作料，美云带来了一个菜谱，他们要做麻婆豆腐。马明先把豆腐洗好，然后把豆腐切成方块。美云开始做了。她做的麻婆豆腐，有漂亮的白色和黄色，又辣又香。你想不想自己做一次试试？

判断对错：① 杰克和美云来到马明家，他们要学习做中国菜。（错）

② 他们要学习做麻婆豆腐。（对）

③ 马明拿来了锅和豆腐。（错）

④ 麻婆豆腐的颜色是黄色和白色。（对）

⑤ 麻婆豆腐的味道不太辣。（错）

B

　　吃完了晚饭，妈妈和美云在厨房洗碗，美华和爸爸在客厅看电视。这时候，美华和爸爸听到厨房里有盘子摔碎的声音。美华说："一定是妈妈摔碎了盘子。"爸爸问："你怎么知道？"美华说："如果是姐姐摔碎了盘子，妈妈一定会大喊大叫的。"

　　回答问题：① 妈妈和美云在哪里？

　　　　　　　② 爸爸和美华在哪里？

　　　　　　　③ 厨房里有什么声音？

　　　　　　　④ 美华为什么说是妈妈摔碎了盘子？

　　(2) 关于朗读练习：

　　　　北风卷地白草折，胡天八月即飞雪。

　　　　忽如一夜春风来，千树万树梨花开。

　　这是唐代诗人岑参的诗作《白雪歌送武判官归京》的前四句。诗的意思是：凛冽的北风吹断了坚韧的白草，北方这里八月就开始下雪了。这雪景就像是一夜春风，吹开了千树万树的梨花。武判官，官名，这里是指作者的前任；胡：古代汉族对北方少数民族的通称。

　　教师可以先讲解给学生听，让他们理解内容，然后再根据学生的兴趣和要求帮助他们练习朗读。

　　3. 学成语：邯郸学步

　　这个成语出自《庄子·秋水》，用来比喻生硬地模仿，不但没学到别人的东西，反而失去了自己原有的长处。故事见学生用书第20课。

　　4. 汉字部件

　　呙——"祸"的组字部件。在现代汉语中，"呙"与"祸"的读音有些差别："呙"(guō)、"祸"(huò)，所以"祸"以"呙"为部件。以"呙"为部件的字还有"锅""埚""涡""窝""蜗""莴"等，但这几个字的读音并不相同："锅"(guō)、"埚"(guō)、"涡"(guō，wā)、"窝"(wō)、"蜗"(wā)、"莴"(wā)。作为部件在书写时应该比单独的字瘦窄一些。

　　左——"佐"的声符。作为部件在书写时应该比单独的字瘦窄一些。

　　斗——"料"字的意符。"料"的本义是"称量"，"斗"是古代的一种称量工具，把"米"放在"斗"中，正形象地表示这一含意。作为部件在书写时应该比单独的字瘦窄一些。

　　安——"按"字的声符。以"安"为声符的字还有"案""胺""氨""鞍""铵"

"桉"等。它们的声调稍有差异:"案"(àn)、"胺"(àn)、"氨"(ān)、"鞍"(ān)、"铵"(ǎn)、"桉"(ān)。作为部件在书写时应该比单独的字瘦窄一些。

台——"始"字的组字部件。从古音的角度看,"台"与"始"二者读音相近,"台"是"始"的声符,但按照现代读音,"台"与"始"相差很大,"台"只是"始"的部件。从现代汉字学的角度看,以"台"为声符的字有"胎""苔""抬""鲐""邰""跆"等,但它们的声调不完全相同:胎(tāi)、苔(tāi,tái)、抬(tái)、鲐(tái)、邰(tái)、跆(tái)。作为部件在书写时应该比单独的字瘦窄一些。

未——"味"字的声符。在古汉语中,"妹"(mèi)、"昧"(mèi)等字也以"未"为声符,但在现代汉语中,它们的读音已不相同,不能看作是声符了。作为部件在书写时应该比单独的字瘦窄一些。

辛——"辣"字的组字部件。"辛"在古代本可以表示辣的意思,所以与"辣"在意义上是有一定联系的。作为部件在书写时应该比单独的字瘦窄一些。

束——"辣"字的组字部件。作为部件在书写时应该比单独的字瘦窄一些。

5. 文化

中国的八大菜系

中国菜肴在烹饪中有许多流派。其中最有影响和代表性的、也为社会所公认的有:鲁、川、粤、闽、苏、浙、湘、徽等菜系,即人们常说的中国"八大菜系"。

一个菜系的形成是和它的悠久历史与独到的烹饪特色分不开的,同时也受到这个地区的自然地理、气候条件、资源特产、饮食习惯等影响。有人把"八大菜系"用拟人化的手法描绘为:苏、浙菜好比清秀素丽的江南美女;鲁、皖菜犹如古拙朴实的北方健汉;粤、闽菜宛如风流典雅的公子;川、湘菜就像内涵丰富充实、才艺满身的名士。

八大菜系	流 派	特 点	名菜
山东菜（鲁菜）	由济南、胶东两部分地方风味组成。	味浓厚、多葱蒜，烹制海鲜，汤菜和各种动物内脏。	油爆大虾 红烧海螺 糖醋鲤鱼
四川菜（川菜）	有成都、重庆两个流派。	味多、味广、味厚、味浓，注重香辣、麻辣。	宫爆鸡丁 一品熊掌 鱼香肉丝 干烧鱼翅
江苏菜（苏菜）	由扬州、苏州、南京地方菜发展而成。	烹调重视：炖、焖、煨；重视调汤，保持原汁。	鸡汤煮干丝 清炖蟹粉 狮子头 鸭包鱼
浙江菜（浙菜）	由杭州、宁波、绍兴等地方菜构成，最负盛名的是杭州菜。	鲜嫩软滑，香醇绵糯，清爽不腻。	龙井虾仁 西湖醋鱼 叫花鸡
广东菜（粤菜）	有广州、潮州、东江三个流派，以广州菜为代表。	烹调突出煎、炸、烩、炖等，口味特点是爽、淡、脆、鲜。	三蛇龙虎凤会 烧乳猪 盐焗鸡 冬瓜盅 古老肉
湖南菜（湘菜）	长沙、湘潭一带发展起来。	注重香辣、酸辣、香鲜。	红煨鱼翅 冰糖湘莲
福建菜（闽菜）	福州、泉州、厦门等地发展起来，以福州菜为代表。	以海味为主要原料，注重甜酸咸香、色美味鲜。	雪花鸡 金寿福 烧片糟鸡 橘汁加鲫鱼 太极明虾
安徽菜（徽菜）	由皖南、沿江和沿淮地方风味组成。皖南菜是主要代表。	擅长烧炖，讲究火工；火腿佐味，冰糖提鲜。	葫芦鸭子 符离集鸡

18 一次体检

一、教学目的

1. 学会表达不以为然的态度；
2. 学习转述他人之间的争执。

二、教学内容

1. 交际功能：(1) 表达不以为然的态度

              (2) 转述他人之间的争执

2. 语言要点：(1) 副词"就"

              (2) "到"做结果补语

3. 语音教学：(1) 听力理解（录音文本见"参考资料"）

              (2) 朗读练习（录音文本见"参考资料"）

三、课堂练习与活动

(1) 关于"排序"

本课排序练习中包含结果补语、副词"已经"在句子中的位置。

(2) 关于"看图说话"

让学生根据课文以及图画提供的情节自己创造对话，练习说话。

(3) 关于"演一演"

本课"演一演"主要练习安慰别人的功能，可以让学生自己提供更多的真实情景
进行练习。

(4) 课堂活动："你的爸爸听话吗？"

先练习询问，然后进行调查。最后一定要总结出给爸爸们的建议。

四、参考资料

1. 课文注释与语法说明

(1) 这点儿小问题没什么。

"没什么"放在动词、动词结构或形容词后面，通常表示产生这一动作行为或这一动作行为产生与否以及存在某一状态都问题不大，没有关系，或不以为然。例如：

> 他觉得上不上大学没什么。

> 学汉语很累，不过累点儿也没什么。

(2) 等到严重就晚了。

这个句子里的"到"在动词"等"后边，做结果补语。"到"做结果补语我们已经接触过，它可以用来表示动作、行为的目的得到实现，如"我买到车票了"；也可以表示人或物通过动作到达空间的某一点，如"走到火车站"。在本课的这个句子里，它表示动作持续到某一时间。我们再看几个句子：

> 今天早上我睡到十点。

> 他每天都工作到七点才回家。

> 我昨天在同学家玩到十二点。

> 他打算在这儿住到明年。

如果动词有宾语，要重复动词。如：

> 杰克看电视看到十一点。

> 马明学小提琴学到十四岁。

这个句子里的"就"是副词，表示承接上文，得出结论。"晚了"是得出的结论，"严重"是假设的前提。再看两个句子：

> 你参观的城市越多，学到的历史知识就越多。

> 他以为今天不会下雨，就没有带雨伞。

2. 语音教学

(1) 听力理解文本：

A

马太太：喂，您是张医生吗？

张医生：我是，请问您是哪一位？

马太太：张医生，您好！我是马太太。我丈夫昨天在您那儿检查了身体，对吗？

张医生：是啊！你丈夫的身体情况不太好。

马太太：他的身体有哪些问题？

张医生：你丈夫以前有心脏病，这次发现他的肺也有问题。

马太太：噢，那太糟糕了。

张医生：是啊，如果他经常锻炼身体，经常到郊外呼吸新鲜空气，就会好一些。

马太太：他总是觉得自己的健康没有那么糟糕。

张医生：对，他认为我说得太严重了。

马太太：他总是不注意自己的身体。他是不是也应该戒烟？

张医生：当然，也要戒酒。希望你能帮助他。

马太太：好，我会跟他谈。谢谢您，张医生。

张医生：不客气，再见。

判断对错：① 这是马医生和张太太的谈话。（错）

　　　　　② 马先生的身体不太好。（对）

　　　　　③ 马先生吸烟，他也喝酒。（对）

　　　　　④ 马先生认为自己的身体很糟糕。（错）

　　　　　⑤ 医生建议马先生经常锻炼身体。（对）

B

张先生在下班的路上遇到了强盗，强盗要他拿出全部的钱。张先生说："我只有一张100块的钱，如果我把钱全部给你，我就没有钱了，我太太一定不相信我今天遇到了强盗。"那个强盗笑了，他说："那么，我太太会相信我今天没有抢到钱吗？"

回答问题：① 张先生遇到了谁？

　　　　　② 张先生有多少钱？

　　　　　③ 张先生的太太会不会相信他遇到了强盗？

　　　　　④ 强盗的太太会不会相信强盗没有抢到钱？

　　　　　⑤ 张先生和强盗都害怕什么人？

(2) 关于朗读练习：

　　　　南边来个老伯，手里提面铜锣。

　　　　北边来个老婆儿，提着一篮香蘑。

　　　　老伯要用铜锣换老婆儿的香蘑，

　　　　老婆儿只要香蘑，不要老伯的铜锣。

　　　　老伯生气敲铜锣，老婆儿笑着卖香蘑。

　　　　老伯敲破了锣，老婆儿卖完了蘑。

这是一段绕口令，教师可以根据学生的兴趣和要求先讲解给他们听，然后再让他们学习朗读。

3. 学成语：自相矛盾

这个成语出自《韩非子》，用来比喻言语行为自相抵触。故事见学生用书第20课。

4. 汉字部件

圣——"怪"字的组字部件。"圣"在古代又读为kū，与"怪"读音相近，是"怪"的声符，但在现代汉语中，只能充当组字部件了。作为部件在书写时应该比单独的字瘦窄一些。

因——"烟"的组字部件。从古音的角度看，"因"与"烟"读音相近，"因"是"烟"的声符。但在现代汉语中，"因"与"烟"的读音不同，所以从现代文字学的角度看，"因"只能是"烟"的部件。以"因"为部件的字还有"茵""姻""洇""咽""胭"等，它们的读音是："茵"(yīn)、"姻"(yīn)、"洇"(yīn)、"咽"(yān)、"胭"(yān)。其中"茵""姻""洇"三字与"因"读音相同，是以"因"为声符。在其他两个字中，"因"只是组字部件。作为部件在书写时应该比单独的字瘦窄一些。

完——"院"字的组字部件。以"完"为部件的字还有"皖""浣""脘""垸"。其中除了"垸"(yuàn)以外，其他几个字的读音都与"完"相近，是以"完"为声符，只是声调不同："皖"(wǎn)、"浣"(wàn)、"脘"(wǎn)。作为部件在书写时应该比单独的字瘦窄一些。

乎——"呼"字的声符。以"乎"为声符的字还有"轷""烀"等。它们均读为hū。作为部件在书写时应该比单独的字瘦窄一些。

5. 文化

中国的烟民

据1996年的调查，中国烟民的总数达3.5亿，每年死于跟吸烟相关的疾病的人数近100万。中国烟民占世界烟民总数的1/4，而且每年还在以2%的速度增长。

近年来，中国烟民的数量仍然有所增加。2002年5月31日，正值第15个世界"无烟日"，北京"零点调查公司"对北京、上海、广州等10个大城市的4863位居民做了一次调查，调查显示，中国烟民进一步呈现出年轻化的趋势。此次调查发现，认为"自己是烟民"的人比例高达35.6%，主要是男性。在年龄分布上，32～46岁这一群体的吸烟比例达到顶峰。值得关注的是，青少年已经大量涌入了烟民的行列，18～21岁的青年人吸烟率高达20.6%。究竟是什么原因使得年轻人向烟草"靠拢"呢？此次调查显示，中国八成以上的青少年经常接触到烟草广告，其中最多见的是外国烟草广告，这些广告常把烟草与力量、速度、优雅、乐趣、刺激和成功联系起来，对青少年有相当的诱惑力。

中国社会在提倡戒烟方面做了不少努力，比如在香烟盒上写有"吸烟有害健康"的字样，部分商店已有"不向未成年人出售香烟"的标识，电视、报纸等媒体都禁止做香烟广告，公共场所也都禁止吸烟，社会各界也都大力宣传吸烟的危害。上述种种努力应该说收到了良好效果，许多烟民自觉地戒了烟，普通民众则增强了远离香烟的意识。

19 妈妈减肥

一、教学目的

学习表达厌烦情绪。

二、教学内容

1. 交际功能：表达厌烦情绪

2. 语言要点：副词"又"

3. 语音教学：(1) 听力理解（录音文本见"参考资料"）

                  (2) 朗读练习（录音文本见"参考资料"）

三、课堂练习与活动

练习与课堂活动：

本课的各项练习和活动都围绕减肥的话题展开。如果班上有比较胖的同学，在学生发表观点、评论时，教师要把握好尺度，避免对这些学生的心理造成伤害。

四、参考资料

1. 课文注释与语法说明

(1) 又是红烧肉。

"又"是副词，用在动词前，表示同一动作、行为的重复。例如：

    他今天又买了一本书。

    我又感冒了。

    杰克今天又迟到了。

"又"表示重复，要注意与"再""还"的区别。

(2) 一点也不腻。

"一点也不+形容词"表示程度极低，通常是在别人肯定的基础上进行的否定。例如：

这个公园一点也不漂亮。

说是打折，其实东西一点也不便宜。

这个菜一点也不好吃。

(3) 吃红烧肉还可以美容呢。

这个句子里的"可以"是助动词，表示有某种用途。再看两个句子：

饭碗也可以当水杯用。

木材可以造纸。

电脑可以玩游戏。

表示否定时，说"不能"。如：

饭碗不能当水杯用。

木材不能造纸。

这个句子里的"呢"是语气词，用在句子末尾，有加强语气、使人信服的作用，常带有夸张的色彩。再看几个句子：

我还没吃饭呢。

他考试考了第一名呢。

马明还会说西班牙语呢。

那个建筑有三百多米高呢。

2. 语音教学

(1) 听力理解文本：

A

我太太做的红烧鲤鱼、香酥鸡比饭馆做的好吃。她喜欢做饭，也喜欢吃。身体好，心情好，所以心宽体胖。昨天她又从卧室里拿出许多衣服。我知道，她又长胖了，以前的衣服已经不能穿了。她常常说："我该减肥了。"她也常常看减肥广告，了解新的减肥方法。可是每次做饭她都做很多，也吃很多。每次上街，她还买回来许多甜的东西，比如巧克力、奶油蛋糕什么的。每次吃完，她就说："我该减肥了。"

判断对错：① 饭馆做的红烧鲤鱼比我太太做的好吃。（错）

② 因为她喜欢吃，所以她很胖。（对）

③ 我太太每次上街都买回来很多衣服。（错）

④ 我喜欢吃肉，也喜欢吃糖。（错）

⑤ 我太太常常了解减肥的方法。（对）

B

一个顾客来参观新建的大楼，这座大楼一共有4层。顾客问大楼房间的价钱，管理员说："一层40万，二层30万，三层20万……"管理员还没有说完，顾客就要离开，管理员问："您对这座楼不满意吗？"顾客说："不，我很满意，只是我想住在第五层。"

回答问题：① 这座大楼一共有几层？

② 每一层的价钱是多少？

③ 顾客对这座大楼满意吗？

④ 顾客为什么想住在第五层？

(2) 关于朗读练习：

盼望着，盼望着，东风来了，春天的脚步近了。

一切都像刚睡醒的样子，欣欣然张开了眼。山朗润起来了，水涨起来了，太阳的脸红起来了。

这是现代散文家朱自清的散文《春》里的第一、二段。教师可以根据学生的兴趣和要求先讲解给他们听，然后再让他们学习朗读。

3. 学成语：南辕北辙

这个成语出自《战国策》，用来比喻行为和所要达到的目的相反。故事见学生用书第20课。

4. 汉字部件

谷——"容"字的组字部件。按照"六书"的理论，"容"是会意字，"谷"为意符。但从现代汉字的角度已看不出二字在意义上的联系。作为部件在书写时与单独的字有些不同。

袁——"辕"字的声符。以"袁"为声符的字还有"猿"，两个字均读为 yuán。作为部件在书写时应该比单独的字瘦窄一些。

行——"街"字的意符。"行"的本义是十字路口，后引申为行走之义，所以"街"以"行"为意符。以"行"为意符的字还有"衢""衔"等，均与街道或行走之义有关。注意："行"作为意符，位于所组整字的两边，中间加上别的部件。

白——"皂"字的组字部件。以"白"为组字部件的现代汉字还有"帛""皇""泉""皋"等。作为部件在书写时与单独的字有些不同。

5. 文化

中国的医疗保险制度

中国的社会医疗保险制度目前正处于一个过渡时期，即从以"免费医疗"为主要特征的传统保险制度转向建立起与市场经济体制相适应的新的社会医疗保险制度。保险费由国家、企业、个人三方合理负担，社会统筹医疗基金和个人医疗账户相结合，这一保险制度将逐步覆盖城市和农村的所有劳动者。

中国传统的医疗保险制度主要是针对城市居民的，有"公费医疗"和"劳保医疗"两种形式。前者主要在国家机关、事业单位实行，经费来源于国家财政拨款。后者主要在企业实行，经费来源于企业职工的福利基金，并列入企业成本。这两项医疗保险的享受者就医时基本上不用负担医疗费用。随着中国社会经济的发展，传统医疗保险制度的弊端日益明显：国家和企业的经济负担日益沉重、制约机制的缺乏导致医疗资源的严重浪费、保险范围窄、社会化程度低等。

上世纪80年代末，中国开始进行医疗保险制度改革。1988年到1993年，中国部分地区开始实行由国家、单位、个人共同筹集医疗保险费用的措施，看病需少量负担医疗费。到1998年，这一制度开始在全国城镇普遍实行，基本医疗保险费由单位和个人按一定比例共同负担。同时社会上也开始出现不同层次的医疗保障体系，如公务员可享受医疗补助政策，允许一些企业建立补充医疗保险等，公民也可自主参加社会上的各种形式的医疗健康保险等。

20 胖子和瘦子

一、教学目的

1. 复习本单元所学内容；

2. 阅读具有讽刺意味的文章，体会其中的意思。

二、教学内容

1. 交际功能：阅读具有讽刺意味的文章

2. 语言要点：复习本单元所学语法点

3. 语音教学：(1) 听力理解（录音文本见"参考资料"）

             (2) 朗读练习（录音文本见"参考资料"）

三、课堂练习与活动

这一课的各项练习和活动都围绕胖、瘦的话题展开。活动中教师要把握好尺度，适当引导，避免对有的学生造成伤害。

关于写作——可要求学生用电脑完成。

四、参考资料

1. 课文注释与语法说明

建议语法练习

用括号里的词语完成句子：

① A：你毕业以后有什么打算?

    B：我打算 _____。（先……然后……再……）

②我爸爸常常 _____。（一边……一边……）

③这里的环境很不错，_____。（虽然……但是……）

④自从来到这里，马明的英语 _____。（越来越……）

⑤杰克喜欢热闹，_____。（越A越B）

2．语音教学：

——关于"朗读练习和唱歌"：大坂城的姑娘

　　大坂城的石路平又平啊，西瓜大又甜啊。

　　那里出的姑娘辫子长啊，两个眼睛真漂亮。

　　你要是嫁人不要嫁给别人，一定要嫁给我，

　　带着你的钱财，领着你的妹妹，赶上那马车来。

　　这是中国"西部歌王"王洛宾根据西部民歌改写的一首歌。根据作者的解释，大坂城当地的维吾尔族居民信奉伊斯兰教，按照伊斯兰教义男人可以娶不止一个妻子，所以这首歌的唱词里有"带着你的妹妹"这样的句子。

　　教师可以根据学生的兴趣和要求先把歌词讲解给他们听，让他们学习朗读，然后再学唱。

　　3．补充阅读材料：邯郸学步、自相矛盾、南辕北辙（故事见学生用书第20课）

　　4．汉字部件

　　干——"赶"字的声符。"赶"的繁体字写作"趕"。简化为"赶"后，声符的作用更为明显。在现代汉字中，以"干"字为声符的字还有"肝""杆""秆""竿""玕"等，它们的声调也并不完全相同："肝"(gān)、"杆"(gān)、"秆"(gǎn)、"竿"(gān)、"玕"(gān)。作为部件在书写时应该比单独的字瘦窄一些。

　　髟——"髦"字的意符。"髟"的本义是表示长发下垂的样子，"髦"指毛发中的长毫，二者在意义上是有关联的，所以"髟"是意符。以"髟"为意符的字还有"髮"(发)、"鬟""髻""鬟"等，均与毛发有关。作为部件在书写时与单独的字相比有些不同。

　　毛——"髦"字的声符。以"毛"为声符的字还有"耄""牦""眊"等。它们的声调不完全相同："耄"(mào)、"牦"(máo)、"眊"(mào)。作为部件在书写时与单独的字有些不同。

　　苟——"敬"的组字部件。作为部件在书写时与单独的字有些不同。

　　酋——"尊"字的组字部件。从字的本义来讲，"酋"表示久酿之酒；"尊"表示盛酒的礼器，二者之间在意义上是有关联的，"酋"是"尊"的意符。但在现代汉语中，由于意义的变化，它们已失去了这种联系。作为部件在书写时与单独的字有些不同。

　　亦——"变"的组字部件。"变"的繁体字写作"變"，上面的"䜌"是声符，简化为"变"之后，两部分均为组字部件。作为部件在书写时与单独的字相比有些不同。

旁——"榜"的组字部件。从古代汉语的角度讲，它们读音相近，"旁"是"榜"的声符，但从现代汉语的角度看，两字的读音已有较大区别，所以只能视为组字部件。以"旁"为部件的字还有磅(páng、bàng)、耪(pǎng)、滂(páng)、膀(páng、bǎng)、傍(bàng)、镑(bàng)、谤(bàng)等，其中，"榜""磅""膀""滂"等字是以"旁"为声符。作为部件在书写时应该比单独的字瘦窄一些。

更——"便"字的组字部件。在现代汉语中，以"更"为组字部件的现代汉字有：硬(yìng)、梗(gěng)、埂(gěng)、哽(gěng)。其中除"硬"字外，其余三字都可以将"更"看作它们的声符。作为部件在书写时应该比单独的字瘦窄一些。

申——"神"字的声符。以"申"为声符的字还有"伸""审""绅""呻""珅""砷"等。但这几个字除了"审"(shěn)之外，均读shēn。作为部件在书写时应该比单独的字瘦窄一些。

4. 文化

中国的"胖孩子"

中国预防医学科学院营养与食品卫生研究所在日前召开的第49届"雀巢国际营养研讨会"上提出警告：儿童肥胖率在包括中国在内的一些发展中国家不断增加，正成为新的公共卫生问题。

据一项在北京、上海等城市进行的儿童及小学生肥胖情况调查，儿童肥胖率、超重率分别为12.1%和11.9%，小学男、女生肥胖率分别为14.8%和9.3%，超重率分别为13.2%和11%。调查显示，男生发生肥胖的危险性约为女生的1.5倍，男生肥胖率在12岁时达到峰值，为19.3%；女生肥胖率在13岁时达到峰值，为13.1%。调查还显示，小学生肥胖率为13.6%，明显高于学龄前儿童10.7%和初中生10.2%的肥胖率。另据介绍，我国少年儿童肥胖率东北地区最高，为13.2%；华东地区次之，为12.2%；中南地区最低，为10.2%。

分析儿童肥胖率持续上升的原因，初步认定与不吃早饭、看电视、父母文化程度、家庭经济状况等有关。据报道，每多看1小时电视，儿童肥胖发生率约会增加1.5%；父母均受过高等教育的家庭，儿童的肥胖率为12.8%，远高于父母文化程度较低家庭的9.2%。尽管可以初步认定上述因素导致肥胖，但除去看电视减少运动时间、父母受高等教育可能有助于收入提高，从而有可能导致儿童吃快餐过多等行为因素之外，基因、遗传等可导致儿童肥胖的因素至今还不十分清楚。

5. 备用阅读材料

(1) 鸡汤

　　今天是星期六，爸爸在公司有事，要晚一点儿下班，妈妈去开会了。马林想让父母尝尝自己做的饭菜，他还从来没有自己做过饭呢。他做了一锅鸡汤，又炒了几个菜，等着父母回来尝尝他做的饭菜。爸爸回来了，他高高兴兴地坐在桌子旁边，很快地拿起勺子（sháozi, spoon）喝了一口汤，觉得味道不对，就问马林：你在鸡的肚子（dùzi, belly）里放了什么？马林说：什么也没放，因为里面原来就有很多东西。

　　你知道为什么汤的味道不对了吗？（改写自《读者》2004 年第 10 期）

(2) 借词语

　　我们有时候向朋友借东西，比如，向同学借橡皮、借铅笔，有的时候向邻居借一杯牛奶。你听说过向别的语言借词语吗？汉语里有一些词语是向英语借的，英语里也有一些词语是向汉语借的。有些词语跟吃的东西有关系，比如，中国人以前不喝咖啡，所以，汉语向英语借了"coffee"这个词，不过用汉字写出来你不容易认识了；中国是茶的故乡，也是荔枝（lìzhī）的故乡，所以，英语的"tea"和"litchi"都是从汉语借的。有些词语跟吃的东西没有关系，比如，中国人坐的"沙发（shāfā）"，就是英语里的"sofa"，说英语的人要"kowtow"的时候，中国人就说"叩头（kòutóu）"。（改写自《中国少年儿童百科全书》，浙江教育出版社，1991）

(3) 丑女

　　每个人都喜欢听美女(měinǚ, belle)的故事，可是你听过丑女(chǒunǚ, rutabaga)的故事吗？两千多年前，中国有个国君(guójūn, monarch)叫"齐宣王(Qíxuānwáng)"。他跟别的国家打仗(dǎzhàng, war)胜利(shènglì, win)了，他就很骄傲(jiāo'ào, pride)，每天听美女唱歌，看美女跳舞。有一天，来了一个很丑的女人，她说要见齐宣王，还要做他的妻子(qīzi, wife)。大家听了都觉得好笑(hǎoxiào, funny)，齐宣王已经有那么多的美女，怎么会要这样丑的女人做妻子呢？他们告诉齐宣王，齐宣王说，好吧，我来看看她什么样子。这个很丑的女人走进来，她的头很大，脖子(bózi, neck)很粗(cū, wide)，头发(tóufa, hair)很少，皮肤(pífū, skin)很黑。看到她的样子，大家都笑起来。齐宣王问她：你为什么要做我的妻子？你能干什么？她说：我能帮你改正(gǎizhèng, correct)你的错误(cuòwù, error)。齐宣王问：我有什么错误？丑女说：你有四个错误，第一，你忘记(wàngjì, forget)了你的国家西面有一个国家越来越强大(yuèláiyuè qiángdà, to become stronger and stronger)，他们正在准备跟你打仗；第二，你不听别人的意见(yìjiàn, opinion)；第三，你喜欢听好听的话，可是这些话让你的国家很危险(wēixiǎn, danger)；第四，你为自己吃喝玩乐(chī hē wán lè, beer and skittles)花了很多钱，这些钱都是人民(rénmín, the people)的。齐宣王听了很感动(gǎndòng, moved)，他马上请丑女做他的妻子，改变了以前的态度(tàidu, attitude)。(《名人轶事600篇》，中国青年出版社，1982)

(4) 鹬(yù, snipe)蚌相争

一只蚌(bàng, mussel)正张开两个壳，在河边晒(shài, bask)太阳，这时候飞来一只水鸟，伸出长嘴去啄(zhuó, peck)蚌的肉。蚌立刻用力合拢(hélǒng, fold)它的壳，把水鸟的嘴夹(jiā, nip)住了。这时候，水鸟对蚌说："不要紧，只要今天不下雨，明天不下雨，你就会被晒死的。等你死了我再吃你的肉。"

蚌也不示弱(shìruò, show signs of weakness)，对水鸟说："不要紧，只要你的嘴今天拔(bá, pull out)不出来，明天拔不出来，你也会活不成的。"

它俩谁也不肯让步(bùkěn ràngbù, not to give in)，就在这时候，有一个打渔(dǎyú, fisherfolk)的人走了过来，毫不费力(háobú fèilì, without striking a blowing)地把它们俩捉(zhuō, to catch)住了。这就是"鹬蚌相争"的故事。

第五单元评估与测验

一、看词语，写拼音。

第17课 （ ）色 （ ）香 （ ）酸 （ ）辣 （ ）菜谱 （ ）按照 （ ）重视 （ ）味道 （ ）简单

第18课 （ ）肺 （ ）酒 （ ）血 （ ）化验 （ ）严重 （ ）大惊小怪 （ ）吃惊 （ ）呼吸 （ ）新鲜 （ ）空气

（ ）态度 （ ）戒烟

第19课 （ ）腻 （ ）美容 （ ）自相矛盾 （ ）南辕北辙 （ ）巧克力

第20课 （ ）有名 （ ）尊敬 （ ）奇怪 （ ）榜样 （ ）精神 （ ）失望 （ ）赶时髦

二、读拼音，写词语。

第17课 yú（ ） jiāo（ ） kāishǐ（ ） tāmen（ ） méi guānxi（ ）

第18课 yīyuàn（ ） tǐjiǎn（ ） jiéguǒ（ ） rènwéi（ ） jiànkāng（ ） shēngqì（ ）

第19课 fāngfǎ（ ） zěnyàng（ ） zhōngyào（ ） yìsi（ ）

第20课 pàng（ ） shòu（ ） kuān（ ） dàjiā（ ） fāngbiàn（ ）

三、把下列句子翻译成英语。

第17课

(1)时间不早了。

(2) 你说过要教我做中国菜。

(3) 我把菜谱带来了。

(4) 我听你的。

(5) 中国菜重视色、香、味。

(6) 别忘了把书带来。

第18课

(1) 你今天见到张医生了吗？

(2) 他给我检查了身体，还化验了血。

(3) 问题不大。

(4) 别大惊小怪的。

(5) 他的心脏不好，肺也有问题。

(6) 你应该戒烟。

(7) 等到严重就晚了。

(8) 他总是觉得自己的健康没有那么糟糕。

第19课

(1) 今天晚饭我们吃什么？

(2) 红烧肉一点也不腻。

(3) 我该减肥了。

(4) 你这是自相矛盾。

(5) 以前的衣服已经不能穿了。

(6) 她又长胖了。

(7) 南辕北辙！

第20课

(1) 这个城市里的人喜欢赶时髦。

(2) 大家都羡慕胖子，尊敬胖子。

(3) 胖子变成了城市里最有名的人。

(4) 你没看到别人都学我吗？

(5) 你为什么不学我的样子呢？

(6) 人们觉得又宽又大的衣服穿着不方便。

(7) 我觉得瘦子的衣服穿着更精神、更好看。

四、回答问题。

第 17 课

(1) 你喜欢吃鱼吗?

(2) 中国菜重视什么?

(3) 你喜欢什么味道?

(4) 你今天带什么来了? （把）

(5) 鱼香肉丝的味道怎么样? （又……又……）

第 18 课

(1) 你什么时候做过体检?

(2) 你爸爸的身体怎么样?

(3) 你妈妈的什么怎么样?

(4) 体检结果怎么样? （看到）

(5) 你身体怎么样? （认为）

第 19 课

(1) 你觉得自己胖吗?

(2) 你需要减肥吗?

(3) 你觉得什么菜很腻?

(4) 你看过减肥药的广告吗?

(5) 你知道有什么方法可以减肥?

(6) 你最喜欢吃什么? （比如……，……什么的）

第 20 课

(1) 你喜欢赶时髦吗?

(2) 你最尊敬的人是谁?

(3) 你最羡慕的人是谁?

(4) 你认识的最有名的人是谁?

(5) 你喜欢穿什么样的衣服? （又……又……）

五、写短文。

第 17 课

用下面的词语介绍一个你最喜欢的菜。

酸　辣　香　味道　又……又……

第18课

用下面的词语介绍一下你的身体情况。

体检　　健康　　认为　　　心脏　　肺

第19课

用下面的词语介绍一下你的朋友是否在减肥。

减肥　　太……了　　方法　　　比如……，……什么的

第20课

用下面的词语介绍一个你熟悉的人。

帅　　好看　　精神　　尊敬　　又……又……　　有名

第六单元 交通地理

单元介绍

　　这个单元的四篇课文，形式与前面的单元相同，话题主要涉及交通、环境、旅游等。对话体课文在语言功能上涉及提意见、表示不满、警告、预订机票等等。叙述体课文与前面的单元相近，但主要是记叙文，在引导学生学习成段表达的同时，向第四册过渡。在语言结构上主要学习助词"地"、动词"离"的用法等。

　　人物涉及杰克和马明。

　　复习课文是一篇报道式的短文，引导学生了解新闻报道一类的文章，为第四册阅读接近原文的材料做准备。

21 这里的环境太糟糕了

一、教学目的

1. 学习提意见；

2. 学习表达不满意。

二、教学内容

1. 交际功能：(1) 提意见

           (2) 表达不满意

2. 语言要点：复现介词"对"

3. 语音教学：(1) 听力理解（录音文本见"参考资料"）

           (2) 朗读练习（录音文本见"参考资料"）

三、课堂练习与活动

(1) 关于"比一比，说一说"

这个练习主要是复习课文中有关环境的描述。

(2) 关于"演一演"

这一练习的主要练习内容是表达不满意。做完课本上提供的练习后，可以结合"你来说一说"让学生自己提供更多的真实情景进行练习。

(3) 课堂活动：本活动可以让学生分组采访学校附近的居民，也可以请2～3名本地居民到学校来，看他们对学校周围的环境是否满意。

四、参考资料

1. 语音教学

(1) 听力理解文本：

A

杰克住在约克街和81街的十字路口附近。那里的交通很拥挤，每天有很多车通过，也有很多行人。上个星期，杰克发现这条路上的垃圾没有清理。到了这个星期，还是没有人来清理。邻居们都很不满意，他们认为这是市长的问题，所以，他们建议杰克给市长写一封信。

判断对错：① 杰克家住在约克街和18街的十字路口附近。（错）

② 杰克家附近的交通很拥挤。（对）

③ 这条街的垃圾已经三个星期没人清理了。（错）

④ 邻居们建议杰克给市长写封信。（对）

B

李太太把车停在商店门口，然后去商店里买东西。她买了东西从商店里出来，看见一个警察站在她的车旁边，心里有点儿害怕。她想，我是不是把车停在禁止停车的地方了，也可能是我刚才开车开得太快了。她走到警察面前，非常客气地笑着说："您好，警察先生，我没有做错什么事情吧？"警察很吃惊地看着她，然后笑了，他说："太太，我不能站在这儿吗？"

回答问题：① 李太太把车停在什么地方？

② 看见警察的时候她为什么害怕？

③ 李太太问警察什么？

④ 警察为什么很吃惊？

⑤ 警察站在李太太的车旁边干什么？

(2) 关于朗读练习：

寒雨连江夜入吴，平明送客楚山孤。

洛阳亲友如相问，一片冰心在玉壶。

这是唐代诗人王昌龄被贬官时在江南写的一首诗，题为《芙蓉楼送辛渐》。诗的意思是：冒着寒冷的秋雨我连夜赶到这里，第二天清晨送走客人，我自己就像楚山一样孤单了。客人回到洛阳，见到我的亲友，他们如果问到我的情况，你就告诉他们我的心仍然像玉壶里的冰块一样透明（我不在乎官场得失）。吴、楚，泛指江南一带。

教师可以先讲解给学生听，让他们理解内容，然后再根据学生的兴趣和要求帮助他们练习朗读。

2. 学成语：叶公好龙

这个成语出自《申子》《新序》等典籍。"叶公"名叫"子高"，叶是春秋时楚国的一个地名，子高被封于叶，故称叶公。这个成语用来比喻表面上爱好某种事物，实际上并不真正理解或需要。故事见学生用书第24课。

3. 汉字部件

随——"随"字的组字部件。作为部件在书写时应该比单独的字瘦窄一些。

用——"拥"的声符。"拥"的繁体字写作"擁"，以"雍"为声符，简化为"拥"之后，"用"仍能起到声符的作用。在现代汉字中，以"用"为声符的字还有"痈""佣""甬"等。它们的声调稍有不同："痈"(yōng)、"佣"(yōng，yòng)、"甬"(yǒng)。作为部件在书写时应该比单独的字瘦窄一些。

齐——"挤"的组字部件。"挤"的繁体字写作"擠"，"齊"简化为"齐"，故"擠"也简化为"挤"。从古音的角度讲，"齐（齊）"与"挤（擠）"两字读音相近。但从现代汉语角度看，"齐（齊）"与"挤（擠）"两字的读音已有较大区别，所以只能视为组字部件。以"齐"为部件的字还有"剂""跻""济""荠""脐""蛴"。其中，"荠"字有两个读音——qí和jì。其他几个字的读音如下："剂"(jì)、"跻"(jī)、"济"(jì)、"脐"(qí)、"蛴"(qí)。作为部件在书写时应该比单独的字瘦窄一些。

耳——"闻"字的意符。"闻"字的本义表示"听"的意思，听要用耳朵，所以字形以"耳"为意符。以"耳"为意符的字还有"聆""聒""聪"以及繁体字"聽""聲"等，它们的含义均与"耳朵"或"听"的意思有关。作为部件在书写时应该比单独的字瘦窄一些。

付——"附"字的声符。以"付"为声符的字还有"符""府""苻"等。它们的声调并不完全相同："符"(fú)、"府"(fǔ)、"苻"(fú)。作为部件在书写时应该比单独的字瘦窄一些。

4. 文化

丝绸之路

"丝绸之路"是指中国古代开辟的东起长安（今西安市），穿过沙漠绿洲地带，一直到罗马的这条中西交通大动脉。

公元前139年，中国西汉王朝的汉武帝为了联合友邦共同对付经常来入侵的匈奴人，派遣侍从官员张骞出使西域。张骞前后用了13年完成此次西域之行，途经今印度、伊朗、叙利亚、伊拉克、罗马等国家和地区。公元前119年，汉武帝再次派张骞率团出使西域，此次张骞远至里海、咸海以北。之后，南亚、中亚、西亚各国常常派使团来长安，中国政府也年年派使团到这些国家。这条道路后来成为中国和这些国家商业来往的主要通道。

通过"丝绸之路"，中国的丝绸制品、四大发明（造纸术、印刷术、火药和指南针）、冶铁技术以及桃子、橘子等传到了西方，而西方的玻璃制造技术、葡萄、胡萝卜、棉花以及绘画、音乐甚至宗教也开始传入中国。"丝绸之路"成为欧亚各国物质和文化交流的重要通道。

22　喂，您不能在这里停车

一、教学目的

学习表达警告。

二、教学内容

1. 交际功能：警告

2. 语言要点：结构助词"地"

3. 语音教学：(1) 听力理解（录音文本见"参考资料"）

　　　　　　　(2) 朗读练习（录音文本见"参考资料"）

三、课堂练习与活动

课堂活动：关于"中文辩论赛"

教师一定要提前做好准备，带领学生查阅相关资料，搜集信息，准备辩论词。只有精心的准备，充分运用所学的词语和句型，辩论赛才会精彩，才会引起同学们的兴趣，语言能力才会有提高。

四、参考资料

1. 课文注释与语法说明

(1) 课文注释：

① 如果有一辆自己的车，上班就不会迟到了。

"如果……，就……"通常表示在假设的基础上做出推论。例如：

　　　如果选课的学生不够，这门课就不开了。

　　　如果明天下雨，我就不去学校了。

　　　太谢谢你了，如果没有你的帮助，我就不会找到这个地方。

② 你已经迟到三次了。

"三次"位于动词"迟到"后，表示迟到的次数，在语法上叫动量补语，是数量补语的一种。这一句式将在以后学习，教师在此不必详细讲解。

(2) 语法说明：结构助词"地"

结构助词"地"的作用是连接状语和中心语。例如：

> 杰克高兴地告诉我，他要去中国旅行了。
>
> 他激动地说："太感谢你了！"
>
> 服务员热情地对我说："你想要点儿什么？"
>
> 小雨慢慢地走回教室。

结构助词"地"的使用情况比较复杂。本课课文中出现了这样的句子：

> 他每天必须早早地起床。
>
> 他高高兴兴地回家，得意地对朋友说……

"早早""高高兴兴"是形容词的重叠形式，"得意"是双音节形容词。双音节形容词和形容词的重叠形式作状语，后面一般要加"地"。前面举过的几个例子都是如此。

需注意的是，单音节形容词作状语一般不用"地"。例如：

> 他说他明天要早来。

建议语法练习：

选择填空：的、地、得

①你看见我 _____ 书包了吗？

②这里 _____ 环境很糟糕。

③她唱歌唱 _____ 很好。

④她高兴 _____ 对我说，她要去旅行了。

⑤星期天 _____ 早晨，他们早早 _____ 就来到了公园。

⑥他们每天都辛苦 _____ 工作着。

⑦他对他 _____ 工作很满意。

2. 语音教学

(1) 听力理解文本：

A

老板：你怎么又迟到了？

小赵：对不起，老板，明天我一定早到。

老板：如果你再迟到，我只好请你离开这儿了。

小赵：放心吧，老板，因为每天坐公共汽车来上班要很长时间，所以我买了车，明天我开车上班。

（第二天）

老板：你今天还是迟到了。

小赵：真对不起，老板，今天早晨遇到了塞车，明天我会早早起床。

老板：好吧，我再给你一次机会。

（商店门口）

小赵：喂，警察先生，那是我的车，对不起！我现在就离开。

警察：太晚了，你先去交罚款吧。

小赵：可是我的车在这儿只停了5分钟。

警察：停一分钟也不行，这是残疾人的车位。

小赵：可是附近没有别的车位了。

警察：你可以把车停在收费停车场嘛。

小赵：好吧。

判断对错：① 小赵以前坐公共汽车上班。（对）

② 小赵买了汽车以后就不迟到了。（错）

③ 小赵又迟到了，所以老板让他离开。（错）

④ 小赵说，他只停了5分钟，所以警察没有给他罚款。（错）

⑤ 小赵把车停在收费停车场了。（错）

B

小赵的家乡有一种木瓜，小赵的老板非常喜欢吃这种木瓜。有一天，小赵从家乡带回来很多木瓜，他送了一些给他的老板，想让老板高兴高兴。老板看见木瓜非常高兴，他对小赵说："真是太感谢了，让你花钱，不好意思！"小赵看到老板高兴，他自己也很高兴，他说："噢，没什么，在我的家乡，木瓜是喂猪的。"

回答问题：① 小赵的老板喜欢什么？

② 小赵为什么送木瓜给老板？

③ 老板看到木瓜说什么？

④ 如果你是老板，听到小赵的话，你高兴吗？为什么？

(2) 关于朗读练习：

有个老头他姓顾，上街打醋带买布。打了醋，买了布，抬头看见鹰叼兔。放下醋，丢下布，去捉鹰和兔。一下踢翻了自己的醋，飞了鹰，跑了兔，回头不见他的布。

这是一段绕口令,教师可以根据学生的兴趣和要求先讲解给他们听,然后再让他们朗读。

3.学成语:滥竽充数

这个成语出自《韩非子》,用来比喻没有真才实学的人混在行家里面敷衍,或坏的东西混在好的里面充数。"齐宣王"是战国时期齐国的一个国王。"竽"是一种形状像笙的乐器。故事见学生用书第24课。

4.汉字部件

匘——"脑"字的组字部件。以"匘"为组字部件的还有"恼""垴"等。

冬——"终"字的组字部件。从古代汉语的角度讲,"冬"与"终"读音相近,"冬"是"终"的声符。但从现代汉语的角度看,两字的读音已有较大区别,所以只能视为组字部件。以"冬"为声符的字有"咚"。作为部件在书写时应该比单独的字瘦窄一些。

並——"碰"字的组字部件。从现代汉语角度看,两字的读音已有较大区别,所以只能视为组字部件。但从古代汉语的角度讲,它们读音相近,"並"是"碰"的声符。作为部件在书写时应该比单独的字瘦窄一些。

寒——"塞"字的组字部件。以"寒"为组字部件的字还有"赛""寨"等,这几个字的读音并不相同:赛(sài)、寨(zhài)。

罒——"罚"字的组字部件。在现代汉语中,已经不能单独成字。以"罒"为部件的字还有"罪"等。

丷——"单"字的组字部件。"单"的繁体字写作"單",以"吅"为声符。简化为"单"之后,"丷"已经不能单独成字。

5.文化

中国的汽车工业

当今世界,汽车工业在很大程度上反映了一个国家的经济发展水平。1957年,中国的年汽车总产量才7900辆,到1980年达到22万辆,2000年汽车年产量是206.9万辆,已经跃居世界第八位。以上数字说明中国汽车工业近年取得了飞速的发展。进入21世纪以来,这一发展势头更加迅猛,根据最新统计数字,2002年中国年汽车总产量将达到250万辆左右。可以说,不久前人们才开始关心的话题——"中国的汽车时代""汽车进入家庭"如今已经不再是梦想,而是以惊人的速度变成了现实。以北京市为例，目前全市有190多万辆机动车，私人机动车就达到120多万辆，仅2002年，北京市就净增汽车22万多辆，比上一年增长了15%。

当然，中国汽车工业的高速发展也伴随着许多问题。比如国产化特别是小轿车生产的国产化的比率还比较低，目前国内很多大的汽车公司都是和德国、日本等汽车工业发达的国家合作经营的，自身在技术、管理等方面还比较落后。努力提高自身产品的质量，增强汽车生产和销售的竞争力是摆在中国汽车工业面前的重大课题。

23　机票多少钱一张

一、教学目的

1. 学会询问价格，预订机票；
2. 学习谈论旅行。

二、教学内容

1. 交际功能：(1) 询问价格，预订机票
　　　　　　　(2) 谈论旅行
2. 语言要点：动词"离"
3. 语音教学：(1) 听力理解（录音文本见"参考资料"）
　　　　　　　(2) 朗读练习（录音文本见"参考资料"）

三、课堂练习与活动

关于"看图说话"

教师平时可以收集一些当地打折的标志和常用语，在看图说话时展示给学生以引起他们的学习兴趣。

四、参考资料

1. 课文注释与语法说明

(1) 那里离城市很远。

这个句子里的"离"是动词，表示距离、相距的意思，后面可带处所名词做宾语。
例如：

　　　天津离北京很近。

　　　这里离学校只有一公里。

(2) 杰克喜欢去郊外，特别是山区。

"特别是 + 名词"通常用来从同类事物中提出某一事物加以特别说明。例如：

他喜欢小说，特别是古典小说。

那儿的路很不好走，特别是下雨的时候。

我喜欢吃中国菜，特别是四川菜。

杰克喜欢运动，特别是打篮球。

(3) 爬山对健康有好处。

"对……有好处"可以作为固定结构教给学生。"对"是介词，它的后面可以跟表示人、事、物的名词。"有好处"可视为一个较为固定的动宾结构，表示"有益处"的意思。例如：

使用太阳能对环保有好处。

多吃水果对健康有好处。

(4) 往返票打七折。

打七折，就是说票价是原价的70%；打九折，就是原价的90%。注意与英语中打折的区别。

建议语法练习：

用所给的词语完成句子：

①水果里含有很多种维生素，＿＿＿＿＿＿＿。（对……有好处）

②那个地方就在学校的南边，＿＿＿＿＿＿＿。（离）

③他喜欢学外语，＿＿＿＿＿＿＿。（特别是……）

④今天气温很低，＿＿＿＿＿＿＿。（如果……就……）

⑤杰克喜欢跟中国人聊天，他觉得＿＿＿＿＿＿＿。（对……有好处）

⑥那个商场里的人很多，＿＿＿＿＿＿＿。（特别是……）

2. 语音教学

(1) 听力理解文本：

A

杰克：马明，暑假你有什么打算？

马明：当然是去旅行，"读万卷书，行万里路"嘛。

杰克：你想去什么地方旅行？

马明：我打算去上海，还想去西安和北京看看。你呢？

杰克：我还没想好，不过我不喜欢去参观城市，我喜欢自然风景。

马明：中国的城市可不一样，那里有很多名胜古迹，参观的城市越多，学到的历史知识也就越多。

杰克：你说得不错，可是现在城市里污染越来越严重，所以离城市越远越好。郊外，特别是山区，空气很好，爬山对健康有好处，也可以学到很多地理知识。

判断对错：① 马明喜欢旅行，可是杰克不喜欢。（错）

② 马明打算去上海，杰克打算去北京。（错）

③ 杰克认为城市污染严重，所以郊区比城市好。（对）

④ 马明认为城市里有名胜古迹，可以学习历史。（对）

B

今天白天：晴，南风1-2级，最高温度26℃。

今天夜间：多云，东南风2级，最低温度18℃。

明天白天：有小雨，东风2级，最高温度20℃。

回答问题：① 今天白天有没有风？

② 今天的温度是多少？

③ 今天夜间会不会很冷？为什么？

④ 明天的天气怎么样？

(2) 关于朗读练习：

假如我当市长，

我先盖无数的楼房，

让所有的居民，用微笑迎接太阳。

假如我当市长，

我先贴一张招贤榜，

让美丽的城市，不再受到污染。

让清新的空气，充满绿色的芳香。

假如我当市长，……

这段现代诗节选、改写自当代诗人柯岩的《假如我是市长》一诗，教师可以根据学生的兴趣和要求先把内容讲解给他们听，然后再朗读。

3. 学俗语：读万卷书，行万里路。

这句俗语比喻学问渊博，见多识广。

4. 汉字部件

呈——"程"字的声符。以"呈"为声符的字还有"逞""埕""裎""酲"等，但这几个字的声调并不完全相同："逞"(chěng)、"埕"(chéng)、"裎"(chěng)、"酲"(chéng)。

作为部件在书写时应该比单独的字瘦窄一些。

亢——"航"的组字部件。在古代汉语中，它们读音相近，"亢"是"航"的声符。但从现代汉语的角度看，两字的读音已有较大区别。以"亢"为部件的字还有"抗"(kàng)、"炕"(kàng)、"伉"(kàng)、"杭"(háng)、"吭"(háng)、"沆"(hàng)等。其中"抗""炕""伉"三字是以"亢"为声符。作为部件在书写时应该比单独的字瘦窄一些。

王——"班"字的组字部件。"班"的本义是"切分"，字形表现的是用"刀"切分"玉"的形象。但这一意义已经不再使用，其字形与意义之间的联系也就不起作用了。

尃——"博"字的组字部件。"尃"有两个读音："fū"和"bù"。与"博"的读音均不相同，但在古代汉语中它们的读音相同。现在我们还可以从"傅"(fù)、"缚"(fù)、"赙"(fù)以及"博"(bó)、"搏"(bó)、"膊"(bó)等字的读音上，体会出"尃"字的两个读音以及古今音的差异。作为部件在书写时应该比单独的字瘦窄一些。

5. 文化

中国的世界文化遗产

中国是有着五千年历史的文明古国，因此保留下了丰富的文化古迹，成为人们凭吊历史或旅游的必选之地。目前，已被联合国教科文组织认定的世界文化遗产包括以下几类。

第一类为"文化遗产"，分别有：长城，北京故宫，北京颐和园，北京天坛，敦煌莫高窟，秦始皇陵及兵马俑坑，周口店北京猿人遗址，承德避暑山庄及周围寺庙，孔府、孔庙、孔林，武当山古建筑群，西藏布达拉宫，丽江古城，平遥古城，苏州古典园林，明清皇家陵寝，龙门石窟，大足石刻，都江堰——青城山，皖南古村落——西递宏村，山西云冈石窟。

第二类为"文化自然遗产"，分别有：泰山风景名胜区，黄山风景名胜区，庐山风景名胜区，峨眉山——乐山大佛，武夷山。

第三类为"自然遗产"，分别有：武陵源风景名胜区，九寨沟风景名胜区，黄龙风景名胜区。

24 谁破坏了我们的家

一、教学目的

1. 复习本单元所学内容；
2. 了解中文报刊语言特点。

二、教学内容

1. 交际功能：了解中文报刊语言特点
2. 语言要点：复习本单元所学语法点
3. 语音教学：(1) 听力理解（录音文本见"参考资料"）

     (2) 朗读练习（录音文本见"参考资料"）

三、课堂练习与活动

中文辩论赛和语言实践都需要教师做好充分的准备，要注意通过这些活动起到复习的作用。

关于写作——可要求学生用电脑完成。

四、参考资料

1. 课文注释与语法说明

(1) 一个农民辛辛苦苦地种了很多粮食。

"辛辛苦苦"是形容词"辛苦"的重叠形式，在句子中做状语。

(2) 粮食已经被动物吃光了。

这是一个"被"字句。"被"是介词，用来引进动作的施行者。这种句式将在以后作详细的说明。

(3) 以前那里的农民常常赶走或者打死来吃粮食的动物。

这个句子里的"或者"是表示选择关系的连词。例如：

  你可以买这本书，或者那本书。

坐电车或者坐地铁都可以。

注意：学生经常出现的错误是该用"或者"的地方却用了"还是"。"或者"与"还是"不同。"还是"常用来表示疑问，或用在不能肯定的句子中，而"或者"用于肯定句。例如：

你吃米饭还是吃面条？

我不知道应该去还是不应该去。

建议语法练习：

判断括号中词语的正确位置：

①大象 A 庄稼的 B 破坏 C 最 D 厉害。（对）

②大象 A 把 B 庄稼 C 踩 D 倒了。（都）

③A 农民可以 B 抓住 C 吃粮食的 D 动物，可是现在法律不允许了。（以前）

④这里的垃圾 A 两个星期 B 没有 C 清理 D 了。（已经）

⑤小赵 A 坐公共汽车 B 上班 C 等 D 很长时间。（要）

2. 语音教学：

——关于"朗读练习和唱歌"：康定情歌

跑马溜溜的山上，

一朵溜溜的云！

端端溜溜的照在康定溜溜的城！

月亮弯弯，

康定溜溜的城！

李家溜溜的大姐，

人才溜溜的好！

张家溜溜的大哥，

看上溜溜的她！

月亮弯弯，

看上溜溜的她！

一来溜溜的看上人才溜溜的好！

二来溜溜的看上会当溜溜的家！

月亮弯弯，

会当溜溜的家!

世间溜溜的女子任我溜溜的爱!

世间溜溜的男子任你溜溜的求!

月亮弯弯,

任你溜溜的求!

教师可以根据学生的兴趣和要求先讲解给他们听,然后再让他们朗读、学唱。

3. 补充阅读材料:叶公好龙、滥竽充数(阅读文本见学生用书第24课)

4. 汉字部件

直——"植"字的声符。以"直"为声符的字还有"值""置""殖""填"等。这几个字的声调有些不同:"值"(zhí)、"置"(zhì)、"殖"(zhí)、"填"(tián)。作为部件在书写时应该比单独的字瘦窄一些。

古——"苦"字的组字部件。从古代汉语的角度看,"古"与"苦"读音相近,"古"是"苦"的声符。但从现代汉语角度看,两字的读音已有较大差异。以"古"为部件的字还有"故"(gù)、"姑"(gū)、"估"(gū)、"沽"(gū)、"咕"(gū)、"钴"(gǔ)、"牯"(gǔ)、"诂"(gǔ)、"枯"(kū)、"骷"(kū)等。这些字除"枯"和"骷"外,都以"古"为声符。作为部件在书写时应该比单独的字瘦窄一些。

5. 文化

中国 21 世纪的环境保护战略

长期以来,中国主要沿用大量消耗资源和粗放经营为特征的传统发展模式,重发展速度和数量,轻发展效益和质量,对自然资源重开发轻保护。这种"高资本投入、高资源消耗、高污染排放"的发展模式造成了环境污染和生态破坏。然而,如果说中国 20 世纪是环境污染的时代,那么 21 世纪中国将进入环境保护的时代。

目前,政府和社会各界均已达成共识,即在制定与"可持续发展战略"相适应的各项重大决策中,必须体现环境保护的内容,对国家重大经济政策和规划要进行环境影响评价;在部分城市和地区研究和试点环境与经济的综合核算制度,确保经济发展以"效益优先""资源节约""环境友好"为导向。

在具体措施方面,政府正在建设和完善环境保护法规和管理体系,很多地区环境污染的状况有所减轻,生态环境破坏趋势开始减缓,重点城市和地区的环境质量得到了改善，并已建成一批经济快速发展、环境清洁优美、生态良性循环的城市和地区。今后，将制定更加严厉的措施，限期实行对大城市、大江、大河、大湖的环境污染治理，对公司、企业将实行环境税收、环境认证等制度。同时国家也将加大环境保护的资金投入，由现在的每年不足1%增加到2005年的1.5%～1.7%，并随着经济的增长逐年加大投入。

6.备用阅读材料

(1) 种树

听说种树(zhòngshù, plant trees)会上瘾(shàngyǐn, be addicted to)，有的人喜欢上了种树，就会一棵接着(jiēzhe, in succession)一棵地种，一直(yìzhí, always)到死。现在，我们真的希望多有一些这样的人，因为，生活中我们经常看到砍树(kǎn shù, cut trees)上瘾的人，一棵接着一棵地砍，一直砍到自己死的那一天。这种人一定很多。如果你不信，你就去看一看那些森林(sēnlín, forest)是怎么消失(xiāoshī, disappear)的。（改写自《读者》2004年第10期）

(2) 听说瑞士(Ruìshì, Switzerland)有个画家(huàjiā, painter)，她最喜欢画的东西是虫(chóng, worm)。有个商人(shāngrén, businessman)看见了她画的虫，觉得非常漂亮，就把这些虫印(yìn, to imprint)在丝绸(sīchóu, silk)上。很多人都来买这样的丝绸，商人赚(zhuàn, earn)了很多钱。商人找到这个画家，希望她画更多的漂亮的虫。可是画家说，最近她不再(búzài, no longer)画漂亮的虫了，她拿出了她最近(zuìjìn, lately)画的虫，不是少了翅膀(chìbǎng, wing)，就是少了腿(tuǐ, leg)。由于污染(wūrǎn, pollution)，自然界(zìránjiè, nature)出现了越来越多的丑虫(chǒu chóng, ugly worm)。画家说，她要让人们看看这些虫，它们不再是自然的杰作(jiézuò, classic)，已经变成(biànchéng, become)了垃圾(lājī, garbage)，让它们变成垃圾的就是人类(rénlèi, human)。（改写自《读者》2004年第8期）

(3) 古代的洪水和传说

科学家(kēxuéjiā, scientist)们说，古代有过世界性(shìjièxìng, cosmopolitan)的洪水(hóngshuǐ, flood)，这次洪水非常厉害(lìhai, fearful)，所以在各个民族(gègè mínzú, every nation)的文化(wénhuà, culture)和历史上都留下(liúxià, keep)了关于(guānyú, about)洪水的传说(chuánshuō, fame)。在古代希腊(Xīlà, Greece)的神话(shénhuà, myth)中，宙斯(Zhòusī, Zeus)对人类不满意，所以降下(jiàngxià, rain)洪水。普罗米修斯(Pǔluómǐxiūsī, Prometheus)叫他的儿子造(zào, to build)了一只方舟(fāngzhōu, ark)，从洪水中逃出来(táo chūlái, flee from a calamity)。《圣经》(Shèngjīng, Bible)里也有洪水的传说，上帝

(Shàngdì, God)叫诺亚(Nuòyà, Noah)造了一只方舟，带全家(quánjiā, the whole family)人和各种动物从洪水中逃出来，他们在方舟里住了几个月。在印度(Yìndù, India)，传说有一个叫摩奴(Mónú, a person's name)的人，因为救(jiù, to rescue)了一条鱼，这条鱼帮助他从洪水里逃出来。在中国，传说有一个叫大禹(Dàyǔ, a person's name)的人，为了(wèile, for)治理(zhìlǐ, harness)洪水工作了很多年，一直到30岁还没有结婚。后来，他遇到(yùdào, meet)一个美丽(měilì, beautiful)的姑娘，他们相爱(xiāng'ài, fall in love)了。他们结婚才4天，就又发生了洪水，大禹马上出发(chūfā, leave)去治理洪水，在外面工作了13年，三次路过自己的家都没有回去。

(4) 羿射九日

传说(chuánshuō, it is said)在很久很久以前，天上有十个太阳，它们都是天帝(tiāndì, the God in heaven)的儿子。它们每天轮流(lúnliú, by turns)出现在天上，所以人们每天只见到一个太阳。可是有一天它们一起出现在天空，它们发出的热量(rèliàng, quantity of heat)把大地烤(kǎo, broil)得像火一样热，田里的庄稼都死了。这时候出现了一个英雄，他叫后羿。后羿力气很大，而且箭射得非常好。他用一张红色的弓和一袋白色的箭射下了九个太阳，于是整个大地又获得了生命。据说那九个太阳落下去的地方有九只烧焦(shāojiāo, burn)的三脚乌鸦(wūyā, crow)，有数不清(shǔbuqīng, incomputable)的金色羽毛(yǔmáo, feather)散在空中，所以后人常用"金乌"二字来代表(dàibiǎo, to represent)太阳。

第六单元评估与测验

一、看词语，写拼音。

第21课　闻　　臭　　随便　市长　行人　　通过
（　）　（　）　（　　）（　　）（　　　）（　　）

第22课　尽快　离开　烦恼　得意　碰到　停车场　残疾人　车位
（　　）（　　）（　　）（　　）（　　）（　　　）（　　　）（　　）

第23课　打折　单程票　往返票　航班　博物馆　美术馆　山区　爬山　地理
（　　）（　　　）（　　　）（　　）（　　　）（　　　）（　　）（　　）（　　）

污染
（　）

第24课　抓　　收获　　粮食　起诉　庄稼　　破坏　　生长　植物
（　）　（　　）（　　）（　　）（　　）（　　）（　　）（　　）

二、读拼音，写词语。

第21课
lù　　dàochù　fùjìn　jiāotōng　yōngjǐ　　jiějué
（　）　（　　　）（　　）（　　　　）（　　）（　　　）

第22课
qìchē　chídào　zhōngyú　jíshí
（　　）（　　）（　　　）（　　）

第23课
jìn　yuǎn　dìng　lí　hǎochù　jīpiào　jīchǎng　yíyàng
（　）（　　）（　　）（　）（　　　）（　　）（　　　）（　　）

shì zhōngxīn
（　　　　）

第24课
sǐ　　bèi　fāshēng　nóngmín　xīnkǔ　dàxiàng　měilì　nàlǐ　nánfāng
（　）　（　）（　　　）（　　　）（　　）（　　　）（　　）（　　）（　　　）

三、把下面的句子翻译成英语。

第21课

(1) 街上到处都是垃圾。

(2) 这也是我要问的问题。

(3) 应该把这个情况告诉市长。

(4) 这里的交通一直很拥挤。

(5) 每次走到垃圾旁边，都能闻到臭味。

(6) 他们的狗在路边随便大小便。

(7) 大家对这些都很不满意。

(8) 我希望您马上解决这里的问题。

第22课

(1) 您不能在这里停车！

(2) 您最好尽快离开！

(3) 占用残疾人的车位是不对的。

(4) 他每天必须早早地起床。

(5) 我有急事。

(6) 您可以去那儿。

(7) 他得意地对朋友说他终于买了汽车。

(8) 他碰到塞车，迟到了10分钟。

第23课

(1) 我要订两张去上海的机票。

(2) 您要单程票，还是往返票？

(3) 往返票打7折。

(4) 您要哪个机场的航班？

(5) 哪个机场离市中心近？

(6) 读万卷书，行万里路。

(7) 爬山对健康有好处。

(8) 旅行的时候可以学到很多知识。

(9) 现在城市里污染越来越严重。

第24课

(1) 在中国南方有一个美丽的地方。

(2) 那里生活着很多动物。

(3) 农民辛辛苦苦地种了很多粮食。

(4) 等到秋天收获的时候。

(5) 大象对庄稼的破坏最厉害。

(6) 农民到法院起诉。

(7) 现在法律禁止随便捕杀动物。

四、回答问题。

第 21 课

(1) 你们这儿遛狗的人多不多？（到处）

(2) 学校附近的交通怎么样？

(3) 你对你们家附近的环境满意吗？

(4) 你对学校的工作满意吗？

第 22 课

(1) 这儿什么时候有停车位？（如果……就……）

(2) 这儿可以停车吗？（不能）

(3) 我应该什么时候起床？（最好）

(4) 你找到小王了吗？（终于）

(5) 今天下午我们去游泳好吗？（急事）

第 23 课

(1) 你怎么上学？为什么？（离 远/近）

(2) 你觉得去城市旅行有什么好处？

(3) 去山区旅行有什么好处？

(4) 去城市旅行有什么不好？

(5) 你喜欢旅行吗？（越……越……）

第 24 课

(1) 故事里，中国南方的那个地方怎么样？

(2) 发生了什么事情？

(3) 农民打算怎么办？

(4) 大象为什么会破坏农民的庄稼？

(5) 你觉得应该怎么办？

五、写短文。

第21课

用下面的词语介绍你对一个熟悉的环境的看法。

附近　　环境　　随便　　到处

第22课

用下面的词语介绍一下这里的交通情况。

高高兴兴　　交通　　拥挤　　停车　　停车场　　最好

第23课

用下面的词语介绍你喜欢去哪儿旅行。

远　近　离　　知识　　好处

第24课

用下面的词语介绍一个与动物有关的故事。

那里　　美丽　　被　　发生

附　录

第三册交际功能总结

第1课

跟熟人打招呼；问候朋友；描述人的长相、介绍某人情况

第2课

传达口信；叙述家庭日常生活

第3课

提出建议与接受建议；描写室内方位

第4课

给朋友写信；比较不同的环境

第5课

与朋友相互了解情况；叙述事情的经过

第6课

与人协商；简单评论、发表自己的看法

第7课

询问并说明原因；简单叙述

第8课

写便条；成段叙述

第9课

询问原因、说明理由；抱怨

第10课

反驳他人意见；成段叙述

第11课

请求；表达无奈

第12课

叙述并评论

第13课

谈论风俗，对比不同的风俗习惯

第14课

表达劝止、猜测；向别人介绍某种风俗

第15课

讨论不同民族的饮食习惯

第16课

写贺卡

第17课

提醒他人；读菜谱；说明如何做菜

第18课

表达"不以为然"；转述他人之间的争执

第19课

表达厌烦的情绪

第20课

阅读具有讽刺意义的文章

第21课

提意见；表达不满意

第22课

警告

第23课

询问价格；预定机票；谈论旅行

第24课

读报刊

第三册语言要点总结

第1课

程度补语、形容词重叠

第2课

副词"刚"、时间名词"刚才";

关联词语"一……就……""一边……一边……"

第3课

动态助词"着";"会"表示可能;复现"把"字句

第4课

"有"和"没有"表示比较

第5课

简单趋向补语

第6课

关联词语"虽然……但是……";"到"做结果补语

第7课

"形容词+极了"句式;时量补语

第8课

复习第5、6、7课语法

第9课

副词"就""才";句式"越来越+形容词";用"是不是"提问

第10课

数词"半";副词"才";前缀"老";用"不是……吗"格式表示强调

第11课

复现语气助词"了";副词"再";表时间的方位词"以后"

第12课

复习第9、10、11课语法

第13课

动词重叠；存在句

第14课

句式"别……了"；助动词"要"

第15课

动态助词"过"；用相邻的数字表达概数

第16课

复习第13、14、15课语法

第17课

"把"字句；"先……然后……再……"句式

第18课

"到"做结果补语；"没什么"表示问题不大或不以为然；副词"就"

第19课

副词"又"；助动词"可以"；语气助词"呢"；"一点也不+形容词"句式

第20课

复习第17、18、19课语法

第21课

复现介词"对"

第22课

结构助词"地"；"如果……就……"

第23课

动词"离"；句式"对……有好处"；"特别是+名词"

第24课

复习第21、22、23课语法